岩波文庫
32-245-2

サロメ

ワイルド作
福田恆存訳

岩波書店

Wilde

SALOME

1893

未使用の表紙

お前の口に口づけしたよ

サロメ
一幕による悲劇

わが友ピエール・ルイスにさゝぐ

目次

ビアズレー挿絵目次……九
登場人物……一一
サロメ……一三
解題……九一

ビアズレー 挿絵目次

未使用の表紙……口絵
お前の口に口づけしたよ……口絵
題字飾画……中扉
目次飾画……目次
月の中の女……一五
エロドの眼……二三
孔雀の裳裾……二九
ヨカナーンとサロメ……三三
プラトニックな歎き……三九
エロディアス登場……四三
黒のケイプ……四七
椅子のサロメ……四九

サロメの化粧 一……………六三
サロメの化粧 二……………六七
腹の踊り……………七三
舞姫の褒美……………八五
最高潮……………八九
巻末飾画……………九〇

登場人物

エロド・アンティパス　分邦ユダヤの王
ヨカナーン　預言者
若きシリア人　親衛軍の隊長
ティゲリヌス　若きローマ人
カパドキア人
ヌビア人
第一の兵士
第二の兵士
エロディアスの侍童
ユダヤ人、ナザレ人、数名
奴隷
ナーマン　首斬役人

エロディアス　　エロドの妃
サ　ロ　メ　　エロディアスの娘
サロメの奴隷たち

サロメ

場面はエロドの宮殿の広い露台。宴会場より高くしつらへてある。兵士たちが露台の手摺にもたれかゝつてゐる。右手に巨大な階段。左手奥にはブロンズ製の緑色の囲ひをした古めかしい水槽がある。月の光。

若きシリア人　いかにも美しい、今宵の王女サロメは！

エロディアスの侍童　見ろ、あの月を。不思議な月だな。どう見ても、墓から脱け出して来た女のやう。まるで死んだ女そつくり。どう見ても、屍《しかばね》をあさり歩く女のやう。

若きシリア人　まつたく不思議だな。小さな王女さながら、黄色いヴェイルに、銀の足。まさに王女さながらの、その足が小さな白い鳩のやう……どう見ても、踊つてゐるとしか思はれぬ。

エロディアスの侍童　まるで死んだ女のやう。それがまたたいそうゆつくり動いてゐる。

宴会場で騒がしい人声。

第一の兵士　なんといふ騒ぎだ！　何者だ、あの吠えたてる獣どもは？
第二の兵士　ユダヤ人さ。いつもあゝだ。宗教のことよ、奴等の争ひの種は。
第一の兵士　どうしてまた宗教のことなどが争ひの種になるのだ？
第二の兵士　おれには解らぬ。いつものことよ。つまり、パリサイどもが天使は存在するといふ、すると、サドカイのはうでは、天使などゐるものかとくる。
第一の兵士　どうも馬鹿らしい、そんなことに目くじらたてるなどと。
若きシリア人　いかにも美しい、今宵の王女サロメは！
エロディアスの侍童　さつきから王女ばかり見てゐるな。度がすぎるぞ。そんな風にひとを見つめるのはよくない……なにか禍が起るかもしれない。
若きシリア人　今宵はことのほか美しい。
第一の兵士　王は暗い顔をしてをられる。
第二の兵士　うむ、暗い顔をしてをられる。
第一の兵士　何かをじつと見ておいでだ。

月の中の女

第二の兵士　誰かをじつと見ておいでだ。
第一の兵士　誰を見てゐるのだらう?
第二の兵士　おれには解らない。
若きシリア人　王女のあの蒼ざめた顔! あれほど蒼い顔をしてゐるのを、おれはつひぞ見たことがない。まるで銀の鏡に映る白薔薇の影そつくりだ。
エロディアスの侍童　王女を見てはならぬ。度がすぎるぞ。
第一の兵士　エロディアスが、王に酒をつがれた。
カパドキア人　あれが妃のエロディアスか、真珠を縫ひこめた黒い冠、青粉をふりかけた髪の毛、あの女が?
第一の兵士　さうだ、あれがエロディアスさ。王の妃だ。
第二の兵士　王は酒には目がない。三種の酒を貯へてをられる。一つはサモトラケ島に産する、ローマ皇帝のマントのやうに深紅のやつだ。
カパドキア人　おれはローマ皇帝を見たことがない。
第二の兵士　もう一つは、キプロスの町で出来る金のやうに黄色いやつだ。
カパドキア人　おれは金が大好きだ。

第二の兵士　それと、最後がシチリアの酒だ。それがまた血のやうに真赤なやつときてゐる。

ヌビア人　おれの国の神々は、みな血には目がない。年に二回、おれたちは若者と娘を生贄《いけにへ》に捧げる、若者五十人に娘百人をな。それでもどうやら足りぬらしい、神々は相変らずおれたちをさいなみつゞけてゐるからな。

カパドキア人　おれの国には、もう神々は一人もゐなくなつてしまつた、ローマ人が追ひはらつてしまつたのだ。なかには、山の中に隠れてゐるのだと言ふものもゐるが、おれは信じない。おれはな、三日三晩、山の中を隈《くま》なく探してみたのだ。それが、どこにも見つからなかつたのさ。最後におれは神々の名を呼んでみたが、つひに出て来なかつた。きつと、みんな死にたえてしまつたのだらう。

第一の兵士　ユダヤ人は、影も形もないたゞ一人の神を崇《あが》めてゐるのだぞ。

カパドキア人　訳のわからぬ話さ。

第一の兵士　とにかく、やつらの信じるのは、目に見えぬものだけなのだ。

カパドキア人　おれには途方もないたはごととしか思へぬな。

ヨカナーンの声　おれのあとには、おれより力ある者がやつて来よう。おれはその靴の紐を解くにも値せぬ。その男の来たるとき、荒れはてた沙漠も喜びにあふれ、百合のごとく花咲き乱れよう。盲人の目は日の光を仰ぎ、聾者の耳は開かれる……その生れて程なき嬰児《みどりご》は、龍の洞に手をかけよう、獅子を、その鬣《たてがみ》をつかみて、意のまゝに引廻すであらう。

第二の兵士　あいつを黙らせろ。倦きもせず馬鹿げたことばかり言つてゐる。

第一の兵士　いや、ならぬ。あれは聖者なのだ。それに至つて優しい。おれは毎日、食事を運んでやる、あの男はそのたびに礼をいふ。

カパドキア人　何者なのだ？

第一の兵士　預言者だ。

カパドキア人　名はなんといふ？

第一の兵士　ヨカナーン。

カパドキア人　どこからやつて来たのだ？

第一の兵士　沙漠からだ、そこであの男は蝗《いなご》と花の蜜を食つて生きてゐた。駱駝《らくだ》の毛を衣に、腰には皮の帯を締めてゐた。その風貌は見るからにすさまじい。多くの人群れがいつもそのあとに随つてゐる。あの男には弟子がゐるのだ。

カパドキア人　で、どんなことを話すのだ？

第一の兵士　おれたちには解らぬ。時には身の毛もよだつ恐しいことを言ふ、が、なんのことか解らない。

カパドキア人　会へるのか？

第一の兵士　駄目だ。王が禁じてゐる。

若きシリア人　王女は顔を扇で隠してしまつた！　小さな白い手が、巣箱へ急ぐ鳩のやうに揺れ動く。白い蝶のやうに。まるで白い蝶のやうに。

エロディアスの侍童　だが、それがお前になんの関りがある？　どうして王女を見るのだ？　見るなといふのに……なにか禍が起るかもしれない。

カパドキア人　（水槽をさして）不思議な牢獄があるものだな！

第二の兵士　あれは昔、水槽だつた。

カパドキア人　昔、水槽だつた！　きつと体に悪いだらうな！

第二の兵士　なに、さうでもない。現に、王の兄、つまり、お妃エロディアスの先夫は、十二年もあそこに閉ぢこめられてゐたのだ。それでも、死にはしなかつた。（十二年も閉ぢこめておいて、）とゞ、首を絞めてやらねばならなかつたのさ。

カパドキア人　首を絞めた？　誰がそんなことを？

第二の兵士　（大男のネグロの首斬役人をさして）あの男さ、ナーマンといふ。

カパドキア人　恐れもせずにか？

第二の兵士　もちろんだ。王が指輪をやつたのだ。

カパドキア人　なんの指輪だ？

第二の兵士　死の指輪よ。恐れるわけがない。

カパドキア人　それにしても、恐しいことだ、王を絞め殺すとは。

第一の兵士　なぜだ？　王だつて首は一つしかない、余人と変りはせぬ。

カパドキア人　おれは恐しい。

若きシリア人　待て、王女が立つ！　それ、テイブルを離れた！　いかにも悩ましげなそぶりだ。あゝ！　こちらへ来る。さう、おれたちのはうに。あんな蒼ざめた顔をして。あれほど蒼い顔をしてゐるのを、おれはつひぞ見たことがない……

エロディアスの侍童　見てはならぬ。後生だ、見るなといふのに。

若きシリア人　迷へる鳩さながら……風にそよぐ水仙の花にもまがふ……まるで銀の花のやう。

サロメ登場。

サロメ　あそこはいや。とても我慢できない。なぜ王はあたしを見てばかりゐるのだらう、目蓋《まぶた》を震はせ、土龍《もぐら》のやうな目をして？……妙なこと、母上の夫ともあらうに、あんな目であたしを見るなんて。あたしには解らない、どういふ意味なのか……いゝえ、本当は解つてゐるの。

若きシリア人　席をおはづしになりましたな、王女さま？

サロメ　こゝの空気のすがすがしいこと！　こゝなら息がつける！　あの連中ときては、どうにもやりきれぬ、愚にもつかぬ儀式をどうのかうのと、たがひにいがみあつてばかりゐるエルサレム生れのユダヤ人たち、浴びるほど酒を飲んでは、それをこぼして床の鋪石《しきいし》を汚す野蛮人ども、目を隈どり頬を塗りたくり、むやみに髪をちゞらせたスミルナ生れのギリシア人、口数少く狡猾《かうくわつ》で、硬玉のやうな爪を長くのばし、小豆色のマントを羽織つたエジプト人、それに、残酷で、がさつで、げびた言葉を平気で使ふローマ人。あゝ！　あたしは嫌ひ、ローマ人が！　ひどく退屈で、そのくせ貴族ぶつてゐるのだもの。

若きシリア人　お掛けになりませぬか、王女さま？

エロディアスの侍童　なぜ話しかけるのだ？　なぜさう見つめるのだ？……おゝ！
なにか禍が起らうとしてゐる。

サロメ　月を見るのはすてき！　小さな銀貨そつくり。どう見ても、小さな銀の花。冷たくて純潔なのだね、月は……さうだよ、月は生娘《きむすめ》なのだよ。生娘の美しさが匂つてゐるもの……さうとも、月は生娘なのだよ。一度もけがされたことがない。男に身を任せたことがないのだよ、ほかの女神たちみたいに。

ヨカナーンの声　主、来たりたまふ！　人の子は来たりたまふ。今や、半人半馬の怪獣は川底に身を隠し、人魚は川を去つて、森の木蔭に身をひそめてゐる。

サロメ　誰だい、いまの声は？

第二の兵士　預言者でございます、王女さま。

サロメ　あゝ！　あの預言者。王が恐れておいでの男だね？

第二の兵士　それは存じませぬ、王女さま。あれは預言者のヨカナーンでございます。

若きシリア人　よろしかつたら、こゝへ吊台を運ばせませうか、王女さま？　庭先の夜はことのほか美しうございます。

エロドの眼

サロメ　あの男、母上のお身のうへのことで、なにか不埒《ふらち》なことを言つてゐるとか?
第二の兵士　なんのことやら、やつの申しますことは、とんとわかりませぬ。
サロメ　さうなのだよ、母上のことでなにか不埒なことを言つてゐるのだよ。

奴隷登場。

奴隷　王女さま、王さまのお言葉でございます、お席へお戻りくださいますやうに。
サロメ　あたしは戻らない。
若きシリア人　畏れながら、王女さま、お戻りになりませぬと、なにか禍が起るかもしれませぬ。
サロメ　年寄りなの、その預言者は?
若きシリア人　王女さま、お戻りになつたはうがよろしうございます。どうぞ私のあとに。
サロメ　その預言者といふのは……年寄りなのかい?
第一の兵士　いゝえ、王女さま、まつたくの若者で。
第二の兵士　誰にもわかりはしない。あの男がエリアだといふ噂があるやうだな?

サロメ　誰のことだい、エリアといふのは？

第二の兵士　大昔、この国にゐた預言者のことでございます、王女さま。

奴隷　王さまへは、なんと御返事申しあげればよろしうございませうか？

ヨカナーンの声　パレスチナの国よ、おのれを打ちし者の鞭折れたりとてよろこぶな。見よ、やがて蛇の卵より怪蛇バジリスクが孵《かへ》り、それは育ての親鳥を貪《むさぼ》り食ふであらう。

サロメ　なんて不思議な声だらう！　あたしはあの男と話がしてみたくなつた。

第一の兵士　おそらくかなはぬことでございませう、王女さま。王さまは、誰にせよ、あの男と話をさせたくないのでございます。祭司の長にさへお許しにならなかつたほどで。

サロメ　あたしはあの男と話がしたい。

第一の兵士　かなはぬことでございます、王女さま。

サロメ　あたしはさうしたいのだよ。

若きシリア人　いづれにもせよ、王女さま、宴の席にお戻りになるにしくはございませぬ。

サロメ　あの預言者をつれておいで。

奴隷退場。

第一の兵士　とてもかなはぬことでございます、王女さま。

サロメ　（水槽に近づき、中を覗く）なんて暗いのだらう、底のはうは！　さぞ気味の悪いことだらう、こんなに暗い坑《あな》のなかにゐるなんて！　まるでお墓みたい……（兵士たちに）きこえないのかい？　あの男をこゝへつれておいで。あたしは逢つてみたい。

第二の兵士　お願ひでございます、王女さま、その御命令だけはお許しくださいますやう。

サロメ　あたしを待たせようといふのだね。

第一の兵士　王女さま、おためとあらば命は惜しみませぬが、その御命令だけはお肯《うべな》ひできませせぬ……いづれにせよ、私どもにそのお言ひつけは、御無理にございます。

サロメ　（若きシリア人を見て）あゝ！

エロディアスの侍童　おゝ！　何が起るといふのか？　きつとなにか禍が起らうとしてゐるのだ。

サロメ　（若きシリア人に近づき）お前なら、きつとしておくれだらうね、ナラボス？　お前なら、きつとしておくれだらうね？　あたしはいつだつてお前に優しくしてあげたもの。さうだらう、お前ならきつとしておくれだらうね？　一目でいゝ、あたしは会つてみたい、あの不思議な預言者に。みんなあの男の話ばかりしてゐる。あたしは何度も耳にしてゐるのだよ、王さままであの男の話をするのを。どうやら、あの男を恐れておいでらしい、王さまは。〔さうとも、たしかに恐れておいでなのだよ〕……お前もさうなのかい、ナラボス、お前までも、あの男を恐れてゐるのかい？

若きシリア人　私は恐れませぬ、王女さま。私は誰も恐れませぬ。でも、王さまがこの蓋を開けることをかたく禁じておいでなのでございます。

サロメ　お前なら、きつとしておくれだらうよ、ナラボス、さうしたら明日、神像売りの群る城門の下を吊台に乗つて通るとき、お前の上に小さな花を投げてあげるよ、小さな緑の花を。

若きシリア人　王女さま、私には出来ませぬ、とても出来ませぬ。

サロメ　（微笑しながら）お前なら、きつとしておくれだらうよ、ナラボス。それがお前にはよくわかつてゐるはず、お前ならきつとしておくれだらうよ。さうしたら明日、神像買ひの群る橋の上を吊台に乗つて通るとき、きつとお前のはうを見てあげるよ、モスリンのヴェイルの奥から、お前を見てあげるのだよ、ナラボス、笑つてあげるかもしれない、たぶん。あたしをごらん、ナラボス。ごらん、あたしを。あゝ！ お前にはよくわかつてゐるはず、お前はあたしの願ひをかなへてくれるつもりなのだよ。お前にはよくわかつてゐるのではないかい？……あたしには、それがよくわかつてゐるのだよ。

若きシリア人 （第三の兵士に合図して）預言者を引き出せ……王女サロメさまがお会ひになりたいと言はれる。

サロメ あゝ！

エロディアスの侍童 おゝ！ なんて不思議な月だらう！ どう見ても、死んだ女の手としか思へぬ、その手が経帷子《きやうかたびら》をまさぐり、身にまとはうとしてゐるかのやうに。

若きシリア人 まつたく不思議だな。どう見ても、琥珀《こはく》の眼をした小さな王女としか思へぬ。モスリンの雲越しに、小さな王女のやうにほゝゑんでゐる。

預言者が水槽から出て来る。サロメそれを見、ゆつくりと後じさる。

孔雀の裳裾

ヨカナーン　その男はどこにゐる、手に瀆神《とくしん》の罪に満ちた盃を持てる男は？　どこにゐるのだ、銀糸の衣をまとひ、いつの日にか、衆人環視のなかに死に目をさらす男は？　その男に、こゝへ来て聴けと言へ、荒野に宮殿に叫びつゞける者の声を聴けと。

サロメ　誰のことだい、あれは？

若きシリア人　解りませぬ、王女さま。

ヨカナーン　その女はどこにゐる、壁に描かれた男たちを、華やかに彩られたカルディアの男の絵姿を見、おのが眼の欲情に身を屈して、カルディアへ使ひを送りし女は？

サロメ　母上のことだね、あれは。

若きシリア人　いえ、決して、王女さま。

サロメ　さうだよ、あれは母上のことなのだよ。

ヨカナーン　その女はどこにゐる、腰に飾り帯をつけ、頭に色とりどりの冠をかぶれるアシリアの隊長どもに身を委《ゆだ》ねし女は？　どこにゐる、きめ美しき麻布とヒヤシンス石を身につけ、金の楯をもち、銀の兜をかぶれる逞しきエジプトの若者たちに身を委ねし女は？　行きて、その女を穢《けが》れし不倫の臥所《ふしど》より起し、主の道を掃き清める者の言葉を聴けと言へ、その罪を悔い改めよと。悔ゆる心なく、なほ醜き所業に耽らうとも、構ひはせぬ、こゝに来いと言へ、裁きの杖はいま主の御手にあるのだ。

サロメ　それにしても、恐しい、なんて恐しい男だらう！

若きシリア人　どうぞおひきを、王女さま、たつてのお願ひでございます。

サロメ　あの眼が、わけても恐しい。それは、どう見ても、ツロの壁掛を松明《たいまつ》で焼き貫いた黒い穴。それはまた龍の棲《す》む暗い洞窟、龍がそこに巣をつくるといふエジプトの暗い洞窟のやう。どう見ても、気まぐれな月に掻き乱された暗い湖としか……あの男、まだ話すとお思ひかい？

若きシリア人　どうぞおひきを、王女さま！　お願ひでございます、おひきあげを。

サロメ　なんて痩せてゐるのだらう！　ほつそりした象牙の人形みたい。まるで銀の像のやう。きつと純潔なのだよ、月のやうに。その銀の光の矢さながら。あの男の肉は、きつと冷たいにちがひない、象牙のやうに……あたしはあの男をもつと近くで見たい。

若きシリア人　いえ、なりませぬ、王女さま！

サロメ　あたしはあの男をもつと近くで見なければならない。

若きシリア人　王女さま！　王女さま！

ヨカナーン　この女は何者だ、おれを見てゐるのは？　見てはならぬ。隈どれる目蓋の下から金色の眼もて、なにゆゑおれを見つめるのか？　何者か知らぬ。知りたいとも思はぬ。連れて行け。この女ではない、おれの話したいのは。

サロメ　あたしはサロメだよ、エロディアスの娘、ユダヤの王女。

ヨカナーン　退《さが》れ！　バビロンの娘！　主に選ばれし者に近づいてはならぬ。お前の母は、その罪業《ざいごふ》の酒をもつて地を浸したのだ、その悪名は神の耳にも届いてゐる。

サロメ　続けておくれ、ヨカナーン。お前の声は、あたしを酔はせる。

若きシリア人　王女さま！　王女さま！　王女さま！

サロメ　いゝから、続けておくれ。続けておくれ、ヨカナーン、そして教へておくれ、あたしはどうしたらいゝのか。

ヨカナーン　近寄るな、ソドムの娘、その顔をヴェイルにて覆ひ、頭に灰をふりかけ、行きて沙漠に人の子を求めるがいゝ。

サロメ　誰のことだい、人の子といふのは？　その男もお前のやうにきれいなのかい、ヨカナーン？

ヨカナーンとサロメ

ヨカナーン　退れ！　退れ！　おれにはきこえるぞ、この宮殿に死の天使の羽ばたく音が。

若きシリア人　王女さま、どうぞお戻りを！

ヨカナーン　神の天使よ、剣を手に、こゝにて何をなさうといふのか？　この穢れし宮殿に何人《なんびと》を探し求めるのか？……あの男が銀の衣をまとうて死なねばならぬ日は、いまだ来てはをらぬ。

サロメ　ヨカナーン！

ヨカナーン　何者だ、今の声は？

サロメ　ヨカナーン！　あたしはお前の肌がほしくてたまらない。その肌の白いこと、一度も刈られたことのない野に咲き誇る百合のやう。山に降り敷いた雪のやう、ユダヤの山々に降り積り、やがてその谷間におりてくる雪のやう。アラビアの女王の庭に咲く薔薇でさへ、お前の肌のやうに白くはない。さう、アラビアの女王の庭に咲く薔薇だつて、（香料をとる草花の咲き匂ふアラビアの女王の庭だつて、）曙《あけぼの》の樹々の葉に落ちる日脚だつて、大海原に抱かれた月の胸だつて……お前の肌ほど白いものはどこにもありはしない――さあ、お前の肌に触らせておくれ！

ヨカナーン　退れ！　バビロンの娘！　女こそ、この世に悪をもたらすもの。話しかけてはならぬ。聴きたくない。おれが耳をかたむけるのは、たゞ神の御声のみだ。

サロメ　お前の肌はいやらしい。レプラの肌のやう。蝮《まむし》の這つた泥の壁、蝎《さそり》が巣をつくつた泥の壁。それは白く塗つた墓、なかは汚いもので一杯。気味の悪い、気味が悪いよ、お前の肌は！……その髪の毛なのだよ、あたしがほしくてたまらないのは、ヨカナーン。お前の髪は葡萄の房、エドムの国のエドムの園に実つた黒葡萄の房。それはレバノンの杉、獅子を隠し、昼をはゞかる盗人たちをかくまふあのレバノンの大きな杉林。長い黒い夜だつて、月が面を隠し、星も恐れる夜だつて、そんなに黒くはない。森によどむ沈黙の影も、そんなに黒くはない。どこにもありはしない、お前の髪ほど黒いものなんて……さあ、お前の髪に触らせておくれ。

ヨカナーン　退れ、ソドムの娘！　おれに手を触れてはならぬ。この神の宮居をけがすな。

サロメ　お前の髪の毛は気味がわるい。泥や埃にまみれてゐる。どう見ても、その額においた茨の冠。どう見ても、その首に巻きついた黒い蛇。あたしはお前の髪の毛が嫌ひ……その脣《くちびる》なのだよ、あたしがほしくてたまらないのは、ヨカナーン。お前の脣は象牙の塔に施した緋色の縞。象牙の刃を入れた柘榴《ざくろ》の実。ツロの庭に咲く、薔薇より赤い柘榴の花も、お前の脣ほど赤くはない。王のお著《つ》きを知らせたり、敵の肝を冷やしたりする、あの血なまぐさいラッパの一吹きも、そんなに赤くありはしない。お前の脣はもっと赤い、踏みつぶす葡萄の汁に濡れ輝く酒造り娘の足よりも。もっと赤いよ、祭司の撒《ま》いた餌を拾ひながら神殿に遊ぶ鳩の足よりも。もっと赤いのだよ、獅子を殺し、金色に輝く虎の群に会つて、その森から出て来た男の足よりも。お前の脣は、海のたそがれに漁師が見つけて、王様のためにと取り除けておく、あの珊瑚《さんご》の枝のやう……！　モアブ人たちがモアブの鉱山で掘り出し、王様がお買ひあげになる朱のやうだよ。朱を塗り珊瑚の弓筈《ゆはず》をつけたペルシア王の弓のやう。どこにもありはしない、お前の脣ほど赤いものなんて……さあ、お前の口に口づけさせておくれ。

ヨカナーン　触るな！　バビロンの娘！　ソドムの娘！　触つてはならぬ。

サロメ　あたしはお前の口に口づけするよ、ヨカナーン。あたしはお前に口づけする。

若きシリア人　王女さま、王女さま、あなたはミルラの繁み、鳩の鳩、そのあなたが、見てはなりませぬ、この男をごらんになつては！　この男にそのやうなことをおつしやつてはなりませぬ。耐へられませぬ……王女さま、王女さま、そのやうなことをおつしやつてはなりませぬ。

サロメ　あたしはお前の口に口づけするよ、ヨカナーン。

若きシリア人　あゝ！

　その声とともに、おのれを刺し、サロメとヨカナーンの間に倒れる。

エロディアスの侍童　シリアの若者は自殺してしまつた！　若い隊長はみづから死んでしまつた！　たうとう自殺してしまつた、おれの友達だつたあの男は！　おれは小さな香料の箱と銀の耳飾りをやつたことがある、その男は今みづから死んでしまつたのだ！　あゝ！　自分でもさう言つてゐたではないか、なにか禍が起るだらうと？……おれもさう言つた、そして、そのとほりになつてしまつたのだ。さうだ、おれには解つてゐたのだ、月が屍《しかばね》を求めてゐたことは、でも、おれにはわからなかつた、まさかそれがこの男だとは。あゝ！　なぜおれはこの男を月から隠してやらなかつたのだ？　穴ぐらにでもかくまつてやれば、見つからずにすんだらうに。

第一の兵士　王女さま、若い隊長がみづから死にました。

サロメ　お前の口に口づけさせておくれ、ヨカナーン。

ヨカナーン　恐しいと思はぬのか、エロディアスの娘？　おれはお前に言はなかつたか、この宮殿に死の天使の羽ばたく音がきこえると？　その天使はまだ来ぬとでもいふのか？

サロメ　お前の口に口づけさせておくれ。

ヨカナーン　不義の子よ、世にお前を救ひうるものはたゞ一人しかをらぬ。おれの言つたあの男だ。その男を捜し求めるがいゝ。いま、その男はガリラヤの海に舟をうかべ、弟子たちと話を交してゐる。岸辺に跪《ひざまづ》き、その名を呼ぶがいゝ。その男がお前のところへ来たとき、その男は必ず来よう、自分を呼び求める者のもとへは、そのとき、お前はその足もとにひれ伏し、罪の許しを乞ふがいゝ。

サロメ　お前の口に口づけさせておくれ。

ヨカナーン　呪ひあれ、近親相姦の母より生れし娘、お前のうへに呪ひを！

サロメ　あたしはお前に口づけする、ヨカナーン。

ヨカナーン　おれはお前を見たくはない。もう二度と見ぬぞ。お前は呪はれてゐるのだ、サロメ、お前は呪はれてゐるのだ。

プラトニックな歎き

さういひながら、水槽の中へ降りて行く。

サロメ　あたしはお前に口づけするよ、ヨカナーン、あたしはお前に口づけする。

第一の兵士　死骸を移さねばならぬ。王は死骸がお嫌ひだ、自分で殺したもののほかはな。

エロディアスの侍童　あの男はおれの兄弟だつた、そして兄弟よりも近いものだつた。おれは香料をいれた小さな箱をやつた、瑪瑙《めなう》の指輪も、あの男はそれをいつも指にはめてゐたのに。夕暮どき、よく川ぞひに巴旦杏《はたんきやう》の木蔭を、一緒に歩いたものだつた。そんなとき、あの男は自分の国のことを話してくれた。いつも低い声でものをいふ、その響は笛吹きの笛のやうだつた。川面に映るおのれの姿を見つめるのがたいそう好きだつたな。おれは、よせと言つたのに。

第二の兵士　お前の言ふとほりだ、死骸を隠さねばならぬ。王の目に触れてはまづい。

第一の兵士　王はこゝまで来られはすまい。この露台には決してお出にならぬのだ。あの預言者をひどく恐れておいでだからな。

エロド、エロディアス、及び従臣たちが出て来る。

エロド　どこにゐる、サロメは？　王女はどこにゐる？　なぜ席に戻らぬのだ、あれほど言ひおいたのに？　おゝ！　あそこに！

エロディアス　あの子を見てはなりませぬ。あなたはいつもあの子ばかり見ておいでになる！

エロド　不思議な月だな、今宵の月は。さうであらう、不思議な月ではないか？　どう見ても、狂女だな、行くさきざき男を探し求めて歩く狂つた女のやうな。それも、素肌のまゝ。一糸もまとうてはをらぬ。さきほどから雲が衣をかけようとしてゐるのだが、月はそれを避けてゐる。（われから中空に素肌をさらして。）酔うた女のやうに雲間を縫うて、よろめいて行く……きつと男を探し求めてゐるのであらう……酔うた女の足どりのやうではないか？　まるで狂女のやうではないか？

エロディアス　いゝえ。月は月のやう、たゞそれだけのことでございます。中へはひりませう……こゝに御用はないはず。

エロド　おれはこゝにゐる！　マナッセ、敷物をそこに。松明をともせ。象牙のテイブルを運べ、碧玉のテイブルもな。こゝの空気はいゝ味がする。客人たちともつと酒を酌みかはしたい。ローマ皇帝の使者には、能《あた》ふかぎりのもてなしをせねばならぬ。

エロディアス　そのためではございますまい、こゝをお動きにならぬのは。

エロド　うむ、こゝの空気はいゝ味がするからな。さあ、エロディアス、客人がお待ちかねだ。おゝ！　足が滑つた！　血に足が滑つた！　不吉な前触れだぞ。世にも不吉な前触れだぞ。なぜ、こゝに血があるのだ？……それに死骸も？　どうしてこゝに死骸があるのだ？　このおれをなんと思うてゐるのか、客のもてなしに死骸を見せねば気のすまぬあのエジプト王よろしくの人間とでも思うてゐるのか？　それにしても、これは何者だ？　このやうなものは、おれは見たうないぞ。

第一の兵士　私どもの隊長でございます、王さま。シリアの若者で、王さまが三日前に隊長にお命じになつたばかりの男でございます。

エロド　おれは殺せと命じはしなかつたぞ。

第二の兵士　みづから死んだのでございます、王さま。

エロド　どうしてだ？　おれは隊長にしてやつたのだ！

第二の兵士　ぞんじませせぬ、王さま。いづれにせよ、みづから死んだのでございます。

エロディアス登場

エロド　おれには解らぬ。自分で死ぬるのは、ローマの哲人だけと思うてゐたが。さうではないか、ティゲリヌス、ローマの哲人はみづから死ぬるといふではないか？

ティゲリヌス　なかにはみづから死ぬるものもございます、王さま。それはストア派の輩《やから》にございます。ストア派と申しますのは、まつたくの田舎者にございます。とにかく、全く度しがたい輩でございます。私などの眼には、たゞもう度しがたい輩としか見えませぬ。

エロド　おれもさう思ふな。みづから死ぬるなどとは、度しがたい奴等だ。

ティゲリヌス　ローマでは物笑ひの種にございます。皇帝御自身、その連中を揶揄《やゆ》した詩をお作りになりました。それが国中で歌はれてをります。

エロド　おゝ！　奴等を揶揄した詩を作られたといふのか？　ローマ皇帝はさすがだな。なんでもお出来になる……それにしても、訳がわからぬ、シリアの若者がみづから死んだといふのは。惜しいな。さうだ、惜しいことをした。いゝ男だつたからな。いかにもいゝ男だつた。眼に深い憂ひがあつたな。おれは憶えてゐるぞ、この男は憂ひを含んだ眼なざしで、じつとサロメを見つめてゐた。じつは、すこし度が過ぎると思うてゐたのだ。

エロディアス　あの子を見すぎる人はまだほかにもをりませう。

エロド　この男の父親は王だつた。おれはそれを攻めて追ひ払つた。そして、その妃だつたこの男の母親を、お前は奴隷にしたのだぞ、エロディアス。それゆゑ、この男は、いはゞおれの客人のやうなもの。さう思へばこそ、隊長にもしてやつたのだ。それを死なせたとは惜しい……それにしても、なぜ死骸をこのまゝにしておくのだ？　どこかへかたづけねばならぬ。おれは見たうない……かたづけろ……（死骸が運び去られる）こゝは冷たい。風が吹く。風が吹いてゐるのではないか？

エロディアス　いゝえ。風など吹いてはをりませぬ。

エロド　いや、たしかに風が吹いてゐる……それに、なにか空に羽ばたくやうな音がきこえる、途方もなく大きな翼の羽ばたくやうな音が。お前にはあれがきこえぬのか？

エロディアス　いいえ、なにも。

エロド　もうきこえぬ、おれにも。が、たしかに聞いたのだ。まちがひない、風が吹いてゐたのだ。もうやんでしまつたが。いや、またきこえてくる。あれがお前にはきこえぬのか？　たしかになにか羽ばたくやうな音だつたぞ。

エロディアス　何もきこえなどいたしませぬ。王にはどこかお加減が悪いだけのこと。さ、中へはひりませう。

エロド　おれはどこも悪くない。悪いのはお前の娘だ。まるで病人のやうだ。あれほど蒼い顔をしてゐるのを、おれはつひぞ見たことがない。

エロディアス　あれをごらんにならぬやうにと申しあげたではございませぬか。

エロド　酒を注《つ》げ。（酒が運ばれる）サロメ、こゝへ来て、少しおれと飲め。特別にうまい酒だぞ。ローマ皇帝が直《ぢ》き直きに送つてくれたのだ。その小さな赤い脣を一口つけてくれぬか、あとはおれがほしてやる。

サロメ　今は、のどが乾いてはをりませぬ、王さま。

エロド　聞くがいゝ、あの返事を、お前の娘の言ひぐさを。

エロディアス　さすがは私の娘、当然のこととぞんじます。なぜ、さうあればかりごらんなさいます？

エロド　木の実を持つて来い。（果物が運ばれる）サロメ、こゝへ来て木の実を食べるがよい。その小さな歯の痕《あと》が見たいのだ。ほんの一口でいゝ、この木の実を齧《かじ》れ、残りはおれが食べてやる。

黒のケイプ

サロメ　今は、なにも食べたうはございませぬ、王さま。
エロド　（エロディアスに）見ろ、よく躾《しつ》けたな、娘を。
エロディアス　娘と私は、王族の出でございます。でも、あなたは、おぢいさまが駱駝の番人だつたとか！　それに、盗人《ぬすつと》でもあつたとやら！
エロド　出まかせを言ふな！
エロディアス　よくごぞんじのはず、それは本当でございます。
エロド　サロメ、さあ、こゝへ来ておれのそばに坐るがいゝ。お前の母の椅子を与へよう。
サロメ　今は、疲れてはをりませぬ、王さま。
エロディアス　もうおわかりのはず、あれがあなたをどう思うてゐるか。
エロド　今すぐこれへ……おれは一体なにがほしかつたのか？　解らぬ。あゝ！
あゝ！　思ひ出したぞ……
ヨカナーンの声　見よ、時は来たのだ！　おれが預言しておいたことが、つひに起つた、主なる神がさういはれる。見るがいゝ、つひにその日は来たのだ、おれが語りおいたその日が。

椅子のサロメ

エロディアス　あれを黙らせて。あの声を聞きたうはありませぬ。あの男は、ことごとに私にあてつけて、罵詈雑言《ばりざふごん》の数々を吐きちらすばかり。

エロド　なにもお前にあてつけてなどゐはせぬ。それに、あの男は偉大な預言者なのだ。

エロディアス　預言者など、私は信じませぬ。いまだ来ぬ日のことが誰にわかりませう？　誰にもわかりはしませぬ。それに、あの男は、ことごとに私を悪しざまにのゝしるばかり。でも、どうやらあなたはあの男を恐れておいでらしい……とにかく、私にはよくわかります、あなたがあの男を恐れておいでのことが。

エロド　おれはあの男を恐れてなどをらぬ。おれは誰も恐れはせぬぞ。

エロディアス　いゝえ、あなたは恐れていらつしやる。もしあの男を恐れておいでなければ、なぜユダヤ人にお渡しになりませぬ、この半年といふもの、うるさう引渡しをせがまれておいでなのに？

第一のユダヤ人　そのとほりにございます、王さま、私どもにお引渡しくださるに越したことはございませぬ。

エロド　その話はもうたくさんだ。おれはとうに答へてゐる。おれはお前らにあの男を手渡したくないのだ。あれは聖者だ、神を見た男なのだ。

第一のユダヤ人　いゝえ、ありえぬことでございます。かの預言者エリアこのかた、神を見たものはひとりもありませぬ。エリアこそ、神を見た最後のもの。それに、今の世に神はもう姿をお現しなどなさいませぬ。神は隠れておいでなのです。おかげでこの国にも大きな禍が生じるやうになつてしまうたのでございます。

第二のユダヤ人　そもそも、預言者エリアが神を見たかどうか、それすら誰にもわかりはせぬ。見たのは、あるいは神の幻だつたかもしれないからな。

第三のユダヤ人　神が隠れるなどといふことがそもそもありえない。神はいつでも姿を現しておいでだ、しかも、あらゆるもののなかにな。神は悪しきもののなかにもゐる、善きものと同じにな。

第四のユダヤ人　そんなことを言ふものではない。それこそ危険この上ない邪説だ。アレクサンドリアの学者たちが言ひだしたことだが、あそこでは専《もつぱ》らギリシアの哲学がはやる。そのギリシア人といふやつ、もともと異教徒だからな。割礼もしないときてゐる。

第五のユダヤ人　神の御業は誰にも解りはせぬ、全く測り知れぬものがあるからな。

みんなが悪いといふことが善で、みんなが善いといふことが悪かもしれぬ。人間に何が解るものかよ。肝腎なのは、たゞ黙つてあとについて行くことだ。神は強いからな。その前には弱い者も強い者もありはせぬ、みんな片端から打ちのめされてしまふのだ。神は人間のことなど歯牙《しが》にもかけてはをられぬのさ。

第一のユダヤ人　全くそのとほりだ。神は恐しい。弱いも強いも一緒くた、碾臼《ひきうす》の中の穀物同然、みんな打ちのめされてしまふのだ。だが、あの男が神を見たわけがない。神を見た者は預言者エリア以来ひとりもゐないのだ。

エロディアス　あの連中を黙らせて。本当にうんざりいたします。

エロド　だが、ヨカナーンこそ、その預言者エリアだといふ話をきいたぞ。

第一のユダヤ人　そんなはずはありませぬ。エリアの時代といへば、三百年以上も昔のことでございます。

エロド　あの男が、その預言者エリアだといふ者もゐるぞ。

第一のナザレ人　いや、たしかに、あの男こそ預言者エリアでございます。

第一のユダヤ人　いや、違ふ、あの男は預言者エリアではない。

ヨカナーンの声　つひにその日は来た、主の来たりたまふ日が来たのだ、おれにはきこえる、世の救ひ主となる者の歩みが山々にひゞきわたるのが。

エロド　なんのことだ、今のは？　あの救ひ主といふのは？

ティゲリヌス　ローマ皇帝がお用ゐになる称号にございます。

エロド　しかし、皇帝がユダヤに来られるわけがない。きのふはローマから手紙がとゞいた。が、どれにもそんなことは書いてなかつたぞ。それにティゲリヌス、お前は冬中ローマにゐたわけだが、そのことについて何も聞いてはゐまい？

ティゲリヌス　はい、王さま、何も聞いてはをりませぬ。私はたゞ称号のことを御説明申しあげましただけのこと。あれは、皇帝の称号のひとつなのでございます。

エロド　まさか、皇帝はおいでになれまい。痛風を病んでをられるからな。脚はさながら象のそれのやうとか。それに国務も多々おありになること。ローマを離れる者はローマを失ふ。おいでにはなるまい。しかし、いづれにせよ、この世の主だ、ローマ皇帝ともなればな。お望みとあらば、いつでも来られよう。が、まさかおいでにはなるまい。

第一のナザレ人　違ひます、あの預言者が申しましたのは、ローマ皇帝のことではありませぬ、王さま。

エロド　ローマ皇帝のことではない？

第一のナザレ人　さうではございませぬ、王さま。

エロド　では、誰のことだ、あれの言ふのは？

第一のナザレ人　この世に来たりたまうたメシアのことで。

第一のユダヤ人　まだメシアは来るものか。

第一のナザレ人　すでに来たりたまうたのだ、現に至るところで奇蹟を行うてゐる。

エロディアス　あゝ！　あゝ！　奇蹟ですつて！　奇蹟など私は信じない。嫌といふほど見せつけられてきたのだもの。（侍童に）さ、私の扇を。

第一のナザレ人　その男は本当に奇蹟を行ふのでございます。たとへば、ガリラヤといふ小さうはございますが、ちよつとした町で起りましたこと、ある婚礼の席上、その男は水を酒に変へました。そこに居あはせた者どもよりぢかに聞いた話でございます。それにまた、カペナウムの門前に坐つてゐた癩病やみを二人、たゞ手を触れただけで癒したのでございます。

第二のナザレ人　いや、そのカペナウムの二人はめくらだつた。

第一のナザレ人　いや、癩病やみだ。もつともめくらも癒してゐる、そればかりか、その男が山の上で天使たちと話をしてゐるのを見た者もございます。

サドカイ人　天使などゐるものか。

パリサイ人　天使はゐよう、が、それと話をしてゐたなどといふことは、信じられない。

第一のナザレ人　その話をしてゐるところを大勢が見てゐたのだ。

サドカイ人　相手は天使ではなかつたのさ。

エロディアス　あゝ、いらいらする、この連中ときたら！　正気の沙汰とは思へない。〔まつたく沙汰のかぎりとしか。〕（侍童に）さあ！　私の扇を。（侍童が扇を渡す）お前の顔はまるで夢でも見てゐるやう。夢など見るものではない。夢を見るのは病人だけなのだよ。（扇で侍童を叩く）

第二のナザレ人　それと、ヤイロの娘の奇蹟がある。

第一のナザレ人　さうだ、あれこそ確かなものだ。誰にも否定は出来まい。

エロディアス　みんな気が狂うてゐる。あまり長いこと月を見すぎたせゐでございませう。黙るやうにお命じくださいまし。

エロド　どういふことなのだ、そのヤイロの娘の奇蹟といふのは？

第一のナザレ人　ヤイロの娘は死にました。それをその男は生き還らせたのでございます。

エロド　死人を生き還らせるといふのか？

第一のナザレ人　はい、王さま。死人を生き還らせるのでございます。

エロド　そんなことはしてもらひたくないぞ。おれは禁ずる。死人を生き還らせることなど、おれは許さぬ。その男を探し出し、きつく言つておかねばならぬ、死人を生き還らせることなど、おれが許さぬとな。今どこにゐるのだ、その男は？

第二のナザレ人　どこにでもをります、王さま、たゞ、あの男を探し出すのはたいそう難しうございます。

第一のナザレ人　聞くところによりますと、今はサマリアとか。

第一のユダヤ人　それだけでも解る、メシアならサマリアにゐるわけがない。サマリア人のところへなどメシアが来たりたまふわけがない。サマリア人は呪はれてゐるのだ。やつらは神殿に供物を捧げたことがないからな。

第二のナザレ人　サマリアにはもう二、三日前からゐない。おれはな、今頃はエルサレムのあたりにちがひないと思ふ。

第一のナザレ人　いや、違ふ、エルサレムにはゐない。おれは今そこから来たばかりなのだ。あの男の消息が解らなくなつてから、もう二月《ふたつき》になる。

エロド まあ、そんなことはどうでもいゝ！ とにかくその男を探し出し、おれの命令だといへ、死人を生き還らせることなど、おれは許さぬとな。水を酒に変へる、癩病やみやめくらを癒す……そんなことは、やりたければやるがいゝ。一々咎めだてはすまい。じゞつ、癩病を癒してやるのはいゝことだからな。しかし、死人を生き還らせるとなると、おれとしても許してはおけぬ……死人がこの世にもどつて来たら、それこそ恐しいことにならう。

ヨカナーンの声 あゝ！ 淫婦！ 春をひさぐもの！ あゝ！ 限どれる目蓋に金色の眼をもてるバビロンの娘！ 聴け、主なる神はかく言ひたまふ。人をしてその女のもとに集らしめよ。かくして、おのおの石を手にし、女に向ひて投げつけしめよ……

エロディアス あの男を黙らせて！

ヨカナーンの声 隊長たちをして、その剣もて女を刺し、楯もて押し殺さしめよ。

エロディアス あれこそ、聞きずてにできませぬ。

ヨカナーンの声 さうして始めて、おれは罪といふ罪をこの地上より拭ひさることが出来よう、世の女たちも、その女の邪淫《じゃいん》をならはずにすませるであらう。

エロディアス　お聞きになりましたか、みんな私へのあてつけではございませぬか？自分の妻が辱《はづかし》められるのを、そのまゝお聞きずてになさるおつもりでございますか？

エロド　だが、お前の名を口にしたわけではない。

エロディアス　どう違ひます？　よくごぞんじのはず、あの男は私を辱めたいのでございます。でも、私はあなたの妃、さうではございませぬか？

エロド　いかにも、わが気高きエロディアス、お前はおれの妃だ、そして、かつては兄の妃であつた。

エロディアス　その人の腕から、あなたは、私をお奪ひになつた。

エロド　そのとほりだ、おれのはうが強かつたからな……が、そんな話はやめにしよう。おれは話したくないのだ。あの預言者の身の毛もよだつ恐しい言葉も、もとはといへば、そこにある。あるいは、そのために禍が起るかもしれない。が、もうその話はやめにしよう……妃、エロディアス、客人のことをすつかり忘れてゐたぞ。さあ、酒をついでくれぬか。その銀の大杯を一つ残らず満してくれ、玻璃《はり》の大杯にもな。ローマ皇帝の健康のために乾杯しよう。こゝにはローマの客人もゐることだ、皇帝のために乾杯せねばならぬ。

一同　ローマ皇帝のために！　ローマ皇帝のために！

エロド　お前には解らぬとみえる、お前の娘はたいそう蒼い顔をしてゐるぞ。

エロディアス　それがあなたになんの関りがございます、あれが蒼い顔をしてゐようとゐまいと？

エロド　だが、あれほど蒼い顔をしてゐるのを、おれはつひぞ見たことがない。

エロディアス　あれをごらんになつてはなりませぬ。

ヨカナーンの声　その日、日は黒布のごとく翳《かげ》り、月は血のごとく染り、空の星は無花果《いちじく》の実の、いまだ熟れざるに枝より落つるがごとく地に落ちかゝり、地上の王たちはそのさまを見て恐れをのゝくであらう。

エロディアス　あゝ！　あゝ！　それなら、私も見たうございます、月が血のごとく染り、星が無花果の実の、いまだ熟れざるに落つるがごとく落ちてくる、早くその日になればいゝ。でも、あの預言者の口のきゝやうときたら、まるで酔ひどれ……本当に、あの声には我慢ができない。あの声だけはいやでございます。黙るやうにお命じくださいまし。

エロド　それは出来ぬ。なにを言つてゐるのかおれには解らぬが、それにしても何かの前触れかもしれぬ。

エロディアス　前触れなどといふものを私は信じませぬ。あの口のきゝやうときては、まるで酔ひどれ。

エロド　おそらく神の酒に酔うたのでもあらう！

エロディアス　どんな酒でございませう、その神の酒といふのは？　どこの葡萄で造るのでございます？　どんな酒槽《さかぶね》にはひつてゐるのでございます？

エロド　（視線がサロメにとゞまり、つひに動かなくなる）ティゲリヌス、先頃ローマへ行つたをり、皇帝はお前に話されたかな、例のことだが……？

ティゲリヌス　例のとは、王さま、なんのことでございませう？

エロド　なんのことかと？　あゝ！　おれがきいたのだつたな、たしか？　ところで、何がきゝたかつたのか、おれは忘れてしまつたぞ。

エロディアス　またあの子をごらんになつていらつしやる。ごらんになつてはいけませぬ。さう申しあげましたのに。

エロド　お前にはそのほかに何もいふことがないとみえる。

エロディアス　それを、もう一度、申しあげておきませう。

エロド　ところで、問題の寺院の修理だが、だいぶ議論してゐたな？　あれは少しは捗《はかど》つたか？　聞けば、聖壇の幕がなくなつたといふが、本当か？

エロディアス　誰でもない、それを盗んだのは御自分。次々と口から出まかせの由なしごとをおつしやつてばかり。こゝはもういやでございます。中へはひりませう。

エロド　サロメ、おれに踊りを見せてくれ。

エロディアス　それはなりませぬ。

サロメ　今は、踊りたうはありませぬ、王さま。

エロド　サロメ、エロディアスの娘、おれに踊りを見せてくれ。

エロディアス　あれにお構ひなさいますな。

エロド　おれの命令だ、踊れ、サロメ。

サロメ　いやでございます、王さま。

エロディアス　（笑つて）ごらんなさいまし、よくいふことをきゝますこと！

エロド　それがおれになんの関りがある、あれが踊らうと踊るまいと？　そんなことはどうでもいゝ。今宵のおれは楽しいのだ、じつに楽しい。これほど楽しいことはなかつたぞ。

第一の兵士　暗い顔をしてをられるな、王は。暗い顔をしてをられるではないか？

第二の兵士　いかにも、暗い顔をしてをられる。

エロド　どうして楽しんではいけないのだ？　ローマ皇帝が、あの世界の君主、万物の君主たる皇帝が、このおれをたいそうお引立てくださる。今日もまた甚だ高価な贈物を届けてくださつたところだ。それに、おれの敵、カパドキア王をローマへお呼びつけになるとのこと。おそらくはローマでやつを磔《はりつけ》にしようとのお心であらう。したいことはなんでもお出来になる、ローマ皇帝ともなればな。いづれにせよ、この世の主なのだからな。とすれば、いゝか、おれには大いに楽しむ権利があるといふわけだ。（さうだ、本当におれは楽しい。こんなに楽しい宵を、おれはつひぞ知らぬ。）この世の何ものも今のおれの喜びを妨げることは出来ぬのだ。

ヨカナーンの声　その男は王座についてゐよう。緋《ひ》と紫の衣をまとうてゐよう。その手には瀆神の罪に満ちた黄金の盃を持つてゐよう。さうして主なる神の御使ひがその男を打ち砕くのだ。やがて男は蛆《うじ》の餌食《えじき》とならう。

エロディアス　あれはあなたのこと。蛆の餌食になると申してをります。

エロド　おれのことではない。あの男は決しておれの悪口は言はぬ。あれはカパドキ

サロメの化粧 一

ア王のことを言つてゐるのだ、おれの敵のカパドキア王のことをな。やつなら蛆の餌食にもならう。あれはおれのことではない。あの男はおれの悪口を言つたことは一度もない、あの預言者はな、たゞ兄の妃を妻にした罪は別だ。それはおそらくあの男の言ふことが正しいのであらう。じゞつ、お前は生《う》まず女《め》だからな。

エロディアス　この私が生まず女と。それをあなたがおつしやる、絶えずあの子ばかりごらんになつてゐるあなたが、御自分の慰みにあの子を踊らせたがつておいでになるあなたが。よくもそんな埒もないことを。私には、子供があります。あなたには子供が一人もゐない、えゝ、一人の奴隷もあなたの子を産みはしなかつた。子供が出来ぬのはあなた、私ではありませぬ。

エロド　黙れ。お前こそ生まず女なのだ。おれの子を産めなかつた、それをあの預言者は言ふのだ、おれたちの結婚は本当の結婚ではないと。近親相姦の結婚、やがては禍をもたらす結婚だと……あれの言葉は当つてゐるかもしれぬ。たしかに当つてゐるよう。しかし、今そんなことをとやかく言うてゐる暇はない。今のおれは心から楽しみたい。じゞつ、楽しいのだ。〔おれは本当に楽しい。〕今のおれには、なにひとつ不足なものはない。

エロディアス　今宵、そのやうに御機嫌とは、私もうれしうぞんじます。めつたにないこと。でも、もう夜もふけました。中へはひりませう。あすの朝は早くから狩りに出かけることをお忘れになりませぬやう。皇帝の御使者ですもの、出来るだけおもてなしせねばなりますまい、さうではございませぬか?

第二の兵士　たいそう暗い顔をしてをられるな、王は。

第一の兵士　うむ、いかにも暗い顔をしてをられる。

エロド　サロメ、サロメ、おれに踊りを見せてくれ。頼む、踊りを見せてくれ。今宵のおれは気がめいつて仕方がない。さうだ、ひどく気がめいるのだ。さつき、こゝへ出て来たとき、血に足が滑つた、それも不吉な前触れだが、続いてこの耳に、はつきりとこの耳に、なにか空に羽ばたく音が、途方もなく大きな翼の羽ばたく音がきこえてきた。それが何を意味するか知らぬ……が、今宵のおれは気がめいつて仕方がない。せめておれに踊りを見せてくれ。踊りを見せてくれ、サロメ、頼む。踊つてくれたら、なんなりとほしいものをつかはさう。「うむ、踊つてくれさへしたら、サロメ、なんなりとほしいものをつかはすぞ、」たとへこの国の半ばをと言はれようとも。

サロメ　(立ちあがり)本当に、ほしいものはなんでもと、王さま?

エロディアス　踊つてはなりませぬ、サロメ。
エロド　なんなりと、たとへこの国の半ばでもな。
サロメ　それをお誓ひに、王さま?
エロド　誓ふぞ、サロメ。
エロディアス　サロメ、踊つてはなりませぬ。
サロメ　何にかけてお誓ひなさいます、王さま?
エロド　命にかけて、この冠にかけて、わが神々にかけて。なんなりとお前の望むものをつかはさう、たとへこの国の半ばをと言はれようとも、踊りを見せてくれさへすればな。おゝ! サロメ、サロメ、おれに踊りを見せてくれ。
サロメ　あなたはお誓ひになりました、王さま。
エロド　たしかに誓つたぞ、サロメ。
サロメ　あたしのほしいものはなんでもと、たとへこの国の半ばでもと?
エロディアス　踊つてはなりませぬ、サロメ。
エロド　たとへこの国の半ばでもな。お前ならさだめし立派な女王にならう、サロメ、この国の半ばを所望するとなればな。あれなら女王として恥づかしくはない、さうは

サロメの化粧 二

思はぬか？……あゝ！　こゝは冷たい！　たいそう冷たい風だな、またきこえる……どうしてあんなものがきこえてくるのだ、空になにか羽ばたく音が？　おゝ！　まるで鳥が、大きな黒い鳥が、この露台の上を舞つてゐるやうな。おれにはなぜそれが見えぬのだ、その鳥の姿が？　あの羽ばたく音の恐しさ。あの風音の恐しさ。冷たい風だな……いや、冷たくはない。それどころか、ひどく暑い。暑くてかなはぬ。息がつまる。この手に水をかけろ。雪を口に含ませてくれ。マントをゆるめろ。早くしないか！　早く！　マントをゆるめろといふのに……いや、このまゝでいゝ。苦しいのは冠だ、この薔薇の冠だ。花が火のやうに燃える。額が焼けたゞれてしまつたぞ。（頭から花環の冠をむしり取つて、テイブルの上に投げる）あゝ！　やつと息がつける。この花びらの赤いこと！　まるで布についた血のしみのやうだ。いや、それがどうしたといふのだ。見るものすべてに意味を読みとる法はない。それでは生きてゆけぬ。かう言つたらいゝ、血のしみは薔薇の花びらのやうに美しいと。それより、いつそかう言つたら……もうそんな話はやめにしよう。今のおれは楽しい。心から楽しいのだ。楽しんではならぬとでもいふのか？　お前の娘が踊りを見せてくれるのだぞ。さあ、踊りを見せてくれぬか、サロメ？　見せてくれると約束したはずだぞ。

エロディアス　それはなりませぬ。
サロメ　踊りをお見せいたしませう、王さま。
エロド　聞いたとほりだ、お前の娘はあゝ言うてゐる。おれに踊りを見せてくれようといふのだ。当然のことだぞ、サロメ、おれに踊りを見せてくれようといふのは。踊りが終つたら、いゝか、忘れるなよ、なんなりとお前の望むものを求めるがいゝ。なんなりとお前の望むものをつかはさう、たとへこの国の半ばをと言はれようともな。おれは誓つた、さうではないか？
サロメ　あなたはお誓ひになりました、王さま。
エロド　しかも、おれは今日まで約束を破つたことがない。誓ひをたててみづからそれを破る手合ひとは違ふのだ。おれは嘘をつくことを知らぬ。おのれの言葉には奴隷のごとくかしづく、おれの言葉は王の言葉だ。カパドキア王はいつも嘘をいふ、あの男は真の王ではない。卑怯者だ。それに、おれから金を借りておきながら、返さうとしない。あまつさへ、おれの使者を辱めた。聞きずてならぬ言辞を弄したのだ。が、やつがローマへ行けば、皇帝が磔にしてくれよう。きつと皇帝はやつを磔になさらう。たとへさうならずとも、所詮は蛆の餌食とならう。あの預言者がはつきりさう預言してゐる。さあ！　サロメ、なにを待つてゐるのだ？

サロメ　奴隷たちを待つてをります、やがて香料と七つのヴェイルを持つてまゐりませう、そして、このサンダルを脱がせてくれませう。

奴隷たちが香料と七つのヴェイルを運んで来て、サロメのサンダルを脱がせる。

エロド　あゝ！　はだしで踊らうといふのだな！　すばらしい！　すばらしいぞ！　お前の小さな足は白い鳩とならう。木の枝先に揺れ踊る小さな白い花ともならう……おゝ！　ならぬ。踊れば血を踏まう！　あたり一面、血のしぶきだ。血のうへを踊らせるわけにはいかぬ。それこそ、このうへもない不吉の前触れとならう。

エロディアス　それがあなたになんの関りがございます、あれが血のうへを踊らうと踊るまいと？　あなたは今日まで飽くこともなくそのなかを歩みつゞけていらした、そのあなたが……

エロド　それがおれになんの関りがある？　あゝ！　見ろ、あの月を！　赤くなつてきたぞ。血のやうに赤くなつてきたぞ。あゝ！　あの預言者の預言は本当だつたのだ。

あの男は預言した、月が血のやうに赤くなると。あの男はさう預言しなかつたか？みんなも聞いてゐよう。それ、月が血のやうに赤くなつた。あれが見えぬか？

エロディアス　よく見えますこと、そして星が無花果の実の、いまだ熟れざるに落つるがごとく落ちるのでは？　それから日が黒布のごとく翳り、地上の王たちはそのさまを見て恐れをのゝくとか。それなら誰にも見えませう。あの預言者も初めて本当のことを申しました。地上の王たちはそのさまを見て恐れをのゝくとか……さ、中へはひりませう。お加減が悪いのです。ローマではお気が違うたと噂されませう。とにかく奥へ。

ヨカナーンの声　何者だ、エドムの地より来たれるものは、深紅に染めし衣をまとひ、その都ボズラより来たれるもの、美々しき装ひに光り輝き、権威を笠に威張り歩くものは？　なにゆゑ汝の衣は緋色に染めてあるのか？

エロディアス　中へはひりませう。あの声には我慢がなりませぬ。あの男があゝして喚《わめ》いてゐるうちは、娘を踊らせたうはありませぬ。あなたがさうしてあの子をごらんになつてゐるうちは、娘を踊らせたうはありませぬ。とにかく、私は娘を踊らせたうないのでございます。

エロド　立つな、エロディアス、妃、無駄なことだ。奥へは行かぬ、サロメが踊り終るまではな。踊れ、サロメ、おれに踊りを見せてくれ。

エロディアス　踊つてはなりませぬ、サロメ。

サロメ　いつでも、王さま。

サロメ、七つのヴェイルの踊りを踊る。

エロド　あゝ！　見事だつた、見事だつたな！　見ろ、踊つてくれたぞ、お前の娘は。来い、サロメ！　こゝへ、褒美《ほうび》をつかはす。あゝ！　おれは舞姫にはいくらでも礼を出すのだ、おれといふ男はな。ことにお前には、じふぶん礼がしたい。なんなりとお前の望むものをつかはさう。なにがほしいな？　言へ。

サロメ　（跪いて）私のほしいものとは、なにとぞお命じくださいますやう、今すぐこゝへ、銀の大皿にのせて……

エロド　（笑つて）銀の大皿にのせて？　いゝとも、銀の皿にな、わけもないこと。かはいゝことを言ふ、さうではないか？　それはなんだな、銀の皿にのせてくれとお前が言ふのは、おゝ、おれの美しいサロメ、ユダヤのどの娘よりも美しいお前がほしい

腹の踊り

と言ふのは、一体なんなのだ？　銀の皿にのせて、なにをお前はほしいといふのだ？　言へ。なんでもいゝ、きつとそれを取らせる。おれの宝はことごとくお前のものだぞ。それは一体なんなのだ、サロメ？

サロメ　（立ちあがり）ヨカナーンの首を。

エロディアス　あゝ！　よう言うてくれました、サロメ。

エロド　ならぬ、それはならぬ。

エロディアス　よう言うてくれました、サロメ。

エロド　ならぬ、それはならぬ、サロメ。そんなものを求めてはならぬ。母親の言ふことなど聴くな。あれはいつもお前に悪智慧を注ぎこむ。あの女の言ふことを聴いてはならぬ。

サロメ　母の言ふことを聴かうといふのではございませぬ。たゞ自分の心の欲するまゝ、銀の皿にヨカナーンの首をと申しあげましたまでのこと。たしかにあなたはお誓ひになりました、エロド王。お忘れになつてはなりませぬ、たしかにお誓ひになりました。

エロド　解つてゐる。おれは神々にかけて誓つた。よく解つてゐる。だが、頼む、サロメ、何かほかのものを望め。領土の半ばを望め、それなら、おれは喜んでつかはすぞ。が、あれはならぬ、そのお前のほしいと言つたものだけは。

サロメ　私はヨカナーンの首がほしうございます。

エロド　ならぬ、それはならぬ、おれはいやだ。

サロメ　あなたはお誓ひになりました、エロド王。

エロディアス　さう、あなたはお誓ひになりました。みんな聞いてをりましたこと。あなたはそれをみんなの前でお誓ひになりました。

エロド　黙れ。お前に話してゐるのではない。

エロディアス　当然のことでございます、娘があの男の首を望むのは。あの男は私に罵詈雑言のかずかずを浴せかけました。なにかとあてつけがましう随分ひどいことを申しました。お解りでございませう、あの子は母を深く愛してをります。ひいてはなりませぬ、サロメ。王はお誓ひになつた、王はお誓ひになつたのだよ。

エロド　黙れ。何もいふな……いゝか、サロメ、人として、ものの道理をわきまへねばならぬ、さうではないか？　「人はものの道理をわきまへねばなるまい？」おれはこれまでお前に辛う当つたことはない。いつもお前をかはいがつてきたな……たぶん、おれはかはいがりすぎたのだ。だから、それだけは求めるな。恐しい、身の毛もよだつ、そんなもんをほしがるなどと。もつとも、本気で言うてゐるとは思はない。男の斬り首など、醜悪きはまるものではないか？　そんなものを娘が見たがることはあるまい。そんなものを眺めて一体なにが楽しいのだ？　楽しいわけがない。いや、いや、そんなものをお前がほしがるはずはない……まあ、おれの言ふことを聽け。おれはエメラルドを持つてゐる、皇帝の寵臣から贈られた丸い大きなエメラルドだ。このエメラルドを透して見ると、遠く離れた国々の出来事まで手にとるやうにうかゞへる。皇帝御自身、競技場へはそれと同じものを持つて行かれるとか。が、おれのはそれより大きい。おれはよく知つてゐる、おれのはうが大きいのだ。それこそ世界で一番大きいエメラルドなのだ。お前はそれがほしうはないか？　それを望むがいゝ、きつとやるぞ。

サロメ　私はヨカナーンの首がほしうございます。

エロド　おれの言ふことを聽いてゐないな、お前は聽いてゐないのだな。頼む、おれの言葉を聽いてくれ、サロメ。

サロメ　ヨカナーンの首を。

エロド　ならぬ、それはならぬ、そんなものがほしいはずはない。そんなことをいふのは、たゞおれを苦しませようためであらう、宵からずつとお前を見てばかりゐたおれを。うむ！　いかにも、そのとほりだ。今宵のおれはお前ばかり見つめてゐた。お前の美しさに苦しめられてきた。お前の美しさにおれは果てしなく苦しめられ、さうして、おれはお前にばかり見入つてきた。だが、もう見まい。人は何物にも、何人にも、眼をつけてはならぬのだ。たゞ、鏡だけを見てをればよい。鏡は仮りの面《おもて》しか写さぬからな……おゝ！　おゝ！　酒をくれ！　咽喉《のど》が乾く……サロメ、サロメ、仲なほりをしよう。とにかく、さうではないか……おれは何が言ひたかつたのか？　一体なにを？　あゝ！　思ひ出したぞ！……サロメ！　いや、もつと近くへ寄れ。おれの話を聴いてゐないな……サロメ、お前は知つてゐよう、おれの白孔雀《しろくじやく》を、庭の天人花《てんにんくわ》と大きな糸杉の間を歩いてゐる、あの美しい白孔雀を。いづれも嘴《くちばし》は金色に輝き、啄《ついば》む草の実も金色、脚は紅。鳴けば雨が降り、尾をひろげれば、中空に月が昇るといふすばらしいやつだ。二羽づゝ連れだち、糸杉と黒い天人花の間を歩いてゐるが、その一羽一羽に奴隷がかしづいてゐるのだ。時に樹の間をよぎつて飛び、また時には芝の上、池のほとりにうづくまる。世にかほどすばらしい鳥はない。世のいかなる王も、かほどすばらしい鳥はもつてをらぬぞ。ローマ皇帝もこれほどの鳥はもつてをられまい。うむ、よし！　そのおれの孔雀を五十羽つかはさう。それは群をなして、どこへでもお前のあとについて行かう、その群に囲まれたお前の姿は、大きな白雲の中の月のやうであらう……あれをみんなお前にやらう。おれは百羽しかもつてをらぬが、世のいかなる王もあれほどの孔雀はもつてはをらぬぞ、それをみんなやらうといふのだ。たゞ、お前はおれを言葉の縛《いまし》めから解きはなつてくれねばならぬ、あれだけは望まぬやうにしてくれ、あのお前のほしいと言つたものだけは。

盃の酒を飲み干す。

サロメ　私にヨカナーンの首をくださいまし。

エロディアス　よう言うてくれました、サロメ！　それを、あなたの話ときたら、まるで子供だまし、孔雀だなどと。

エロド　黙れ。お前は喚いてばかりゐる。まるで猛獣のやうに喚くだけだ。さう喚くな。その声を聞いてゐるだけで、うんざりする。黙つてゐるのだぞ……サロメ、自分のしようとしてゐることをよく考へてみるがいゝ。あの男はたぶん神の使ひであらう。

〔たしかに神の使ひにちがひない。〕聖者なのだぞ。神の指先があの男に触れたのだ。神があの男の口に恐しい言葉を預けたのだ。宮殿のうちにあつても、荒野にをつたときと同じに、神はつねにあの男と共に在る……とにかく、さうとしか思はれぬ。もちろん誰にも解ることではない、が、おそらく神はあの男に身方し、あの男と共に在るにちがひない。となれば、もしあの男が死にでもしたら、なにか禍が起るかもしれぬ、このおれの上にな。じゞつ、あの男は言つてゐる、自分が死ぬ日には何者かに禍が起らうとな。それこそ、このおれのほかにはない。おぼえてゐよう、おれはさつきこゝへ出て来たとき、血に足を滑らせた。それに、おれはなにか空に羽ばたく音を、途方もなく大きな翼の羽ばたく音を聞いてゐる。いづれもこのうへない不吉な前触れだ。そのうへ、まだある。きつと、ほかにもまだ眼には見えぬくさぐさのことがあるにちがひない。まあ、いゝ！　サロメ、まさかお前は望みはすまい、このおれに禍あれかしとは？　お前がそのやうなことを望むはずがない。とにかく、おれの言ふことを聴いてくれ。

サロメ　私にヨカナーンの首をくださいまし。

エロド　それ、まるで何も聴いてをらぬではないか。まあ、落ちついて話をしよう。

おれのはうはしごく落ちついてゐる。すつかり落ちついてゐるぞ。聴け。おれはこゝに宝石を隠してあるのだ、お前の母もまだ見たことのない、世にも珍しい宝石をな。なかには、四筋に編んだ真珠の首飾りがある。銀の光でつないだ月といはうか。金の網目にかゝつた無数の月といはうか。それはさる女王がその象牙の胸にかけてゐたものだ。お前なら、お前がそれをかければ、その女王に劣らず美しく見えよう。おれは紫水晶を二種類もつてゐる。黒いはうは葡萄酒のやう。赤いはうは水をさした葡萄酒のやう。おれはトパアズももつてゐる、虎の眼のやうに黄色いやつ、野鳩の眼のやうに桃色のやつ、猫の眼のやうに緑色のやつ。オパールももつてゐるぞ、凍りつくやうな焰をたてて燃えてゐるやつも、人の心を悲しませ闇を恐れしめるやつもだ。それに、縞瑪瑙《しまめなう》ももつてゐる、死んだ女の瞳のやうなやつをな。月長石ももつてゐるぞ、そいつは月とともに色を変へ、日にあたれば蒼ざめる。サファイアももつてゐる、卵ほども大きく、青い花のやうに青いのを。そのなかには潮が流れ、月の光もその波の青さを消し去ることはできまい。それに橄欖石《かんらんせき》と緑柱石がある、緑玉髄と紅玉もある、紅縞瑪瑙とヒヤシンス石と玉髄もな、それをみんなお前にやらう、いゝか、みんなだぞ、いや、まだあるのだ。インド王からたつたいま送られてきたばかりの鸚鵡《あうむ》の羽で作つた扇が四本、それからヌミディア王から送つてきた駝鳥《だてう》の羽で織つた衣がある。それに、おれは水晶も一つもつてゐる、女はこれを透して見ることが許されず、若い男も鞭《むち》で鍛へられたもののほか、それを見てはならぬのだ。螺鈿《らでん》の宝石箱には不思議なトルコ玉が三つ入れてある。額にそれをつければ、この世に存在せぬものを見ることが出来、手に握つて持ち歩けば、女を生まず女にすることも出来るのだ。世にも貴重な宝ばかり。値《あたひ》の知れぬ宝ばかりだ。それとて全部ではない。黒檀の宝石箱に琥珀の盃が二つ、金色の林檎さながらに納つてゐる。敵がこれに毒を盛れば、たちまち銀色に変じるといふしろものだ。琥珀を鏤《ちりば》めた箱のなかには、玻璃を鏤めた靴がある。セレスの国から送つて来たマントがある、それに、ユーフラテスの町から送つて来た、柘榴石と硬玉をはめこんだ腕環もな……どうだ、これ以上なにがほしいといふのか、サロメ? ほしいものを言つてみるがいゝ、きつとつかはす。お前のほしいものは、なんでもやる、たゞ一つのものを除いてはな。おれのもつてゐるものは、なんでもやる、たゞ一つの命を除いては。祭司の長のマントもやる。聖壇の幕もくれてやらう。

ユダヤ人　おゝ! おゝ!

サロメ　私にヨカナーンの首をくださいまし。

エロド　（席に崩れるやうに坐り）この女に望みのものをやれ！　さすがは母親の子だ！

第一の兵士が近づく。エロディアスはエロドの指から死の指輪を抜きとり、第一の兵士に手渡す。それを直ぐ首斬役人のところへ持つてゆく。首斬役人のたぢろぐ様子。

エロド　誰だ、おれの指輪を抜いたのは？　おれは右手に指輪をはめてゐたはずだ。誰だ、おれの酒を飲んでしまつたのは？　おれの盃には酒がついであつたはずだ。なみなみと湛《たゝ》へられてあつたはずだぞ。誰か飲んだのか？　おゝ！　たしかに、なにか禍が起らうとしてゐる、何者かのうへに。

首斬役人が水槽のなかに降りてゆく。

エロド　あゝ！　なぜおれは誓ひを口にしたのか？　王は誓ひを口にしてはならぬのだ。それを守らねば恐しいことが起る。それを守れば、また恐しいことが……

エロディアス　さすがは私の娘、よくしてくれました。

エロド　たしかに、なにか禍が起らうとしてゐるのだ、何者かのうへに。

サロメ　（水槽のうへに身を屈め耳をすます）音もしない。何もきこえぬ。どうして声をあげないのだらう、あの男は？　あゝ！　誰かがあたしを殺さうとしたら、あたしは大声をあげて、暴れまはるだらう、じつとしてなどゐるものか……斬つておしまひ、斬つて、ナーマン。斬れといふのに……音もしない。なにもきこえぬ。静まりかへつてゐる、不気味なほどに。あゝ！　なにか土の上に落ちるやうな。たしかにきこえた、なにか落ちる音が。あれは首斬役人の刀。恐れてゐるのだ、あの奴隷は！　それで刀を落してしまつたのだ。あの男が殺せないのだ。なんて臆病な奴隷だらう！　兵士を遣らなければ。（エロディアスの侍童を見つけ、話しかける）こゝへおいで。お前けあの死んだ男の友達だつたね？　でも、まだ死に足りぬらしい。兵士たちに命じておくれ、穴ぐらに降りて行つて、あたしの望みのものを持つて来るやうにと、王があたしに約束なさつたものを、あたしのものを、持つて来るやうにと。（侍童は尻ごみする。サロメ、兵士たちを振返り）こゝへおいで、兵士たち。穴ぐらに降りて行つて、あの男の首を取つて来ておくれ。（兵士たち、尻ごみする）王さま、王さま、兵士たちにお命じくださいまし、ヨカナーンの首を取つて来るやうにと。

大きな黒い腕、銀の楯のうへにヨカナーンの首をのせた首斬役人の黒い腕が、水槽からせりあがる。サロメ、その首を攫む。エロドはマントで顔を隠す。エロディアスは微笑して扇をつかふ。ナザレ人たちは跪いて祈り始める。

サロメ　あゝ！　お前はその口に口づけさせてくれなかつたね、ヨカナーン。さあ！　今こそ、その口づけを。この歯で嚙《か》んでやる、熟れた木の実を嚙むやうに。さうするとも、あたしはお前の口に口づけするよ、ヨカナーン。あたしはお前にさう言つたね？　あたしはお前にさう言つた。さあ！　今こそ、その口づけを……でも、どうしてあたしを見ないのだい、ヨカナーン？　お前の眼は、さつきはあんなにも恐しく、怒りと蔑《さげす》みにみちてゐたのに、今はじつと閉ぢてゐる。どうして閉ぢてゐるのだい？　その眼をおあけ！　目蓋を開いておくれ、ヨカナーン。どうしてあたしを見ようとしないのだい？　あたしがこはいのかい、ヨカナーン、それで、あたしを見ようとしないのかい？……それにお前のその舌、毒を吐く赤い蛇のやうだつたその舌も、もう動かない、今はもう何も言はないのだね、ヨカナーン、あたしに向つて毒を吐い

舞姫の褒美

たあの真赤な蝮《まむし》も。不思議だとは思はないかい？　その赤い蝮はどうしてもう動かないのだらう？……お前は一寸もあたしをほしがらなかつた、ヨカナーン。お前はあたしを郤《しりぞ》けた。ひどい言葉をあたしに投げつけた。まるで淫売か浮気女のやうに扱つた、このあたしを、サロメを、エロディアスの娘ユダヤの王女を！　いゝよ、ヨカナーン、このあたしは、まだ生きてゐるのだもの、でも、お前は、死んでしまつて、お前の首はもうあたしのものだもの。どうにでも出来るのだよ、あたしの気のすむやうに。犬にでも、空とぶ鳥にでも投げてやれるのだよ。犬に食べさせたその残りを、空とぶ鳥がつゝくだらう……あゝ！　ヨカナーン、ヨカナーン、お前ひとりなのだよ、あたしが恋した男は。ほかの男など、みんなあたしには厭はしい。でも、お前だけは綺麗だつた。お前の体は銀の台座に据ゑた象牙の柱。それは鳩が群り、白百合の咲きこぼれる庭。象牙の楯を飾りつけた銀の塔。この世にお前の体ほど白いものはなかつた。お前の髪ほど黒いものはなかつた。この世のどこにもお前の口ほど赤いものはなかつた。お前の声は、不思議な馨《かを》りをふりまく香炉、そしてお前を見つめてゐると不思議な楽の音がきこえてきたのに！　あゝ！　どうしてお前はあたしを見なかつたのだい、ヨカナーン？　手のかげに、呪ひのかげに、お前はその顔を隠してしまつた。神を見ようとする者の目隠しで、その眼を覆うてしまつたのだ。たしかに、お前はそれを見た、お前の神を、ヨカナーン、でも、あたしを、このあたしを……お前はたうとう見てはくれなかつたのだね。一目でいゝ、あたしを見てくれさへしたら、きつといとしう思うてくれたらうに。だのに、あたしは、このあたしはお前を見てしまつたのだよ、ヨカナーン、さうして、あたしはお前を恋してしまつたのだ。あゝ！　あんなにも恋ひこがれてゐたのに。今だつて恋ひこがれてゐる、ヨカナーン。恋してゐるのはお前だけ……あたしはお前の美しさを飲みほしたい。お前の体に飢ゑてゐる。酒も木の実も、このあたしの欲情を満してはくれぬ。どうしたらいゝのだい、ヨカナーン、今となつては？　洪水も大海の水も、このあたしの情熱を癒してはくれぬのだもの。あたしは王女だつた、それをお前はさげすんだ。あたしは生娘だつた、その花をお前は穢《けが》してしまつたのだ。あたしは無垢《むく》だつた、その血をお前は燃ゆる焔で濁らせた……あゝ！あゝ！　どうしてお前はあたしを見なかつたのだい、ヨカナーン？　一目でいゝ、あたしを見てくれさへしたら、きつといとしう思うてくれたらうに。さうとも、さうに決つてゐる、恋の測りがたさにくらべれば、死の測りがたさなど、なにほどのことでもあるまいに。恋だけを、人は一途に想うてをればよいものを。

エロド　不埒な女だ、お前の娘は、不埒な女だぞ。いづれにせよ、あれのしたことは大きな罪なのだ。おれたちの知らぬ神に、あれは罪を犯したのだ。

エロディアス　娘のしたことはよいこと、私はもうこゝにかうしてをりませう。

エロド　（立ちあがり）あゝ！　けがらはしい近親相姦の妃め、またしてもそのやうなことを！　来い！　おれはこゝにゐたうはない。来いといふのに。虫が知らせる、なにか禍が起らうとしてゐるのだ。マナセ、イサカル、オジアス、篝《かゞ》りを消せ。おれは何も見たくないのだ。何ものにも見られたくないのだ。篝りを消せ！　月を隠せ！　星を隠せ！　われらも宮殿のなかに隠れよう、エロディアス。おれはそら恐しうなつてきた。

奴隷たちが篝火《かゞりび》を消す。星が消える。大きな黒い雲が月をよぎり、完全に月を隠してしまふ。舞台は非常に暗くなる。エロド、階段を昇りはじめる。

サロメの声　あゝ！　あたしはたうとうお前の口に口づけしたよ、ヨカナーン、お前の口に口づけしたよ。お前の脣はにがい味がする。血の味なのかい、これは？……いゝえ、さうではなうて、たぶんそれは恋の味なのだよ。恋はにがい味がするとか……でも、それがどうしたのだい？　どうしたといふのだい？　あたしはたうとうお

最 高 潮

前の口に口づけしたよ、ヨカナーン、お前の口に口づけしたのだよ。

一条の月の光がサロメを照しだす。

エロド （振返ってサロメを見）殺せ、あの女を！

兵士たちは突き進み、楯の下に、エロディアスの娘、ユダヤの王女、サロメを押し殺す。

解　題

一　ワイルド登場

オスカー・ワイルドは一八五四年十月十六日にアイルランドのダブリンに生れ、そこに育つた。父は有名な外科医であつた。纎細な感受性と溢れるやうな機智は生れながらのアイルランド気質であらう。ダブリン大学のトリニティ・カレッジを卒業したのち、オックスフォード大学のモードリン・カレッジに学んだ。既に在学中に詩を発表し、ニューディゲイト賞を与へられたことがあり、またギリシア・ラテンの古典においては常に最優秀の成績を示した。いはゆる「芸術のための芸術」を主張して一種の唯美主義運動に指導的な役割を演じたのも、その学生時代からのことである。

早くもそのころからワイルドの言動は、単に学生仲間や文壇の内部にのみとゞまらぬ一つの「社会的事件」になつてゐたやうだ。一八八一年には、軽喜劇風なミュージカルをもつて当時のロンドン劇壇を風靡したギルバート（台本）・サリヴァン（音楽）が、ワイルド及びその芸術至上主義運動を諷刺の対象として取上げ、『ペイシェンス』といふ芝居を作つて上演してゐる。ワイルドの第一詩集(Poems)が刊行されたのはその前後のことである。

そのころはまだ文化も流行も芝居もほとんどロンドンの支配下にあつたアメリカがギルバート・サリヴァンの新作をのがすわけがない。早速、その年の秋、『ペイシェンス』はニュー・ヨークの劇場にも現れた。かうしてワイルドは彼自身の作品によつて知られる前に、すなはち「人気作者」であるより以前に「人気者」として、アメリカでも既にその名を知られるやうになつてゐた。彼が講演旅行のためアメリカに渡つたのはその頃のことである。また、そのためでもあつたらう。『ペイシェンス』の主人公バンソーンが彼であることを大抵のアメリカ人が知つてゐた。その歌詞や曲はアメリカ中に行きわたり、それがまだ街頭や炉端から消えさらぬころ、人々は十二月二十三日附のニュー・ヨーク・トリビューン朝刊で、その翌日にはワイルドがニュー・ヨークへ向つて船出することを知つたのである。

『オスカー・ワイルドのアメリカ発見』といふ本には、翌一八八二年の一月二日から十二月二十七日に至るまで、アメリカ滞在満一年間のワイルドの言行と、それにたいする当時の新聞や社交界の反応とが、四百五十頁にわたつて細大もらさず収録してある。ほとんど仕事らしい仕事をしてゐない、わづか満二十七歳のワイルドの存在がアメリカにとつても大きな「社会的事件」であつたことは確かである。

ワイルドはアメリカ滞在の一年間に六十回以上の講演をした。そしてロンドンではつひに日の目を見なかつた最初の戯曲『ヴェラ』(Vera)が、随分もめたあとではあつたが、一八八三年の秋にニュー・ヨークで上演された。それから十年後の一八九一年にやはりそこで上演された『パデュア公爵夫人』(The Duchess of Padua)も、アメリカ滞在中に想を得て書きはじめたものである。

だが、結局はワイルドとアメリカとは喧嘩別れをしてゐる。ワイルドはアメリカとその国民の「俗物的実用主義」を事ごとに嘲つた。アメリカの方では、ジャーナリストもカトゥーニストも、ワイルドの「軽薄な気取り」に攻撃の矢を放ちつゞけた。誇らしげにやつてきたワイルドは、たつた二人の友人に見送られて寂しく去つて行つた。

二　準備期

ワイルドは一八八三年の春から夏まではパリに滞在し、その間にアメリカで筆をつけた『パデュア公爵夫人』を完成したが、どこでも上演してはくれなかつた。やがて金に窮してロンドンに帰つた彼は暫く沈黙をつゞける。もちろん、彼の芸術運動は続いた。文壇の一部では依然として一つの偶像であり、彼の人柄や言動は若い崇拝者にとつて大きな魅力となつてゐた。彼は金を得るために講演し、雑誌に短い批評文を発表した。それらは文化のあらゆる領域にわたつてゐる。文学、演劇、美術、工芸、衣裳、家具を、そして女性問題から社会問題まで論じてゐる。もちろん、この時期だけではなく、その仕事は暫くのちまで続く。

一八八四年、コンスタンス・メアリ・ロイドと結婚したワイルドは、その妻の祖父の遺産相続で一時は楽になつたが、やがて一八八五年には長男シリルが、翌八六年には次男ヴィヴィアンが生れ、ふたゝび雑文によつて生活費をかせぎださねばならなくなつた。その間、女性雑誌の編集にもたづさはつてゐる。

三　最盛期

その後、ワイルドは短篇小説を書きはじめ、一八八八年に最初の短篇集『幸福な王子・その他』(The Happy Prince and Other Tales)を、一八九一年には『アーサー・サヴィル卿の犯罪・その他』(Lord Arthur Savile's Crime, and Other Stories)を、一八九二年には『柘榴の家』(The House of Pomegranates)を上梓してゐる。それらはすべて寓話的な物語である。一八九一年には、ワイルドの唯一の長篇『ドリアン・グレイの肖像』(The Picture of Dorian Gray)も刊行された。これは前年アメリカの雑誌に発表したもので、単行本とするために、さらに六章が附けたされた。雑誌に発表されたとき、不道徳な作品として非難されたので、単行本では自分の芸術信条を二十数節からなる逆説をもつて示し、それを序文として世に送つた。なほ翌一八九二年には第二詩集(Collected Poems)が出版されてゐる。

ワイルドの名を世間的に最も華やかにしたものは、戯曲、ことにその喜劇であつた。最初は一八九二年における『ウィンダミア夫人の扇』(Lady Windermere's Fan)上演の成功である。続けて、翌一八九三年には『詰らぬ女』(A Woman of No Importance)が発表、上演された。一八九五年には『理想の夫』(An Ideal Husband)と『真面目が大事』(The Importance of Being Earnest)とが続けさまに上演され、ことに後者は大成功をさめた。『サロメ』(Salome)はこの四つの喜劇作品が現れる直前、一八九一年のパリ滞在中に書かれたものである。ワイルドはそれを最初フランス語で書いたが、のちにアルフレッド・ダグラスによつて英語に訳された。もちろん、当時は彼の喜劇のやうにもてはやされなかつたのみか、イギリスでは上演さへ許されず、ワイルドは自分の作品の舞台化を生前つひに見ることが出来ずに終つたのである。

すぐれた批評家としてのワイルドを語るものは、一八九一年に出版された『意図』(Intentions)である。それは次の五篇からなり、いづれも雑誌に発表された。第一、第三、第四は対話形式で書かれてゐる。

一　嘘の衰退(The Decay of Lying)　一八八九年
二　ペンと鉛筆と毒(Pen, Pencil, and Poison)　一八八九年
三　芸術家としての批評家　第一部(The Critic as Artist — First Part)　一八九〇年
四　同　第二部(〃 — Second Part)　同
五　仮面の真実(The Truth of Masks)　一八八五年

なほその他の注目すべき論文集としては『社会主義のもとにおける人間の心』(The Soul of Man under Socialism)が、一八九五年に私家版として出てゐる。公には彼の死後、一九〇四年に出版された。

四　ワイルドとダグラス

一八九五年、ワイルドにとつて決定的な事件が起きた。ワイルドは自分の崇拝者であり、『サロメ』の英訳者である青年アルフレッド・ダグラス卿とは一八九一年以来のつきあひだつたが、二人の男色関係が問題になり、ダグラスの父クインズベリー侯爵は再三、二人をおどし、その関係を断たしめようとしてゐた。侯爵は『真面目が大事』がセント・ジェイムズ座で初日のふたを開けた二月十四日、その邪魔をしようとして、野菜の花束を用意して劇場に出かけたが、ワイルドはあらかじめそれを知つて、侯爵を入場させなかつた。数日後、さらに侯爵はアルブマール・クラブを訪れ、「男色家を気取るワイルドへ」と書いた名刺を残して去つた。その名刺を受取つたワイルドは弁護士と相談して、侯爵を訴へた。侯爵は逮捕され、公判にうつされたが、ワイルドの起訴は卻《しりぞ》けられ、侯爵は無罪放免、今度は逆にワイルドが起訴された。

公判は四月二十六日から三回おこなはれたが、五月二十五日、つひに有罪と決り、ワイルドは重労働、二年間の禁固を申渡されたのである。さらに八月二十六日には破産の宣告を受けた。ワイルドは二年間をウォンズワース監獄、レッディング監獄に送り、一八九七年五月十九日に釈放されてゐる。

五　最後の作品

この獄中生活から二つの作品が生れた。一つは獄中記『深淵より』(De Profundis)であり、もう一つは長詩『レッディング監獄の唄』(The Ballad of Reading Gaol)である。この二つの作品で、それまで絶えず見物を前に芝居をしてきたワイルドは、自分以外に見物人も聴衆もゐない芝居を演じ歌をうたはなければならなくなつた。ワイルドは出獄後、フランスに渡り、暫く北海岸の小さな村に身を隠してゐたが、そのとき書きはじめたのが後者のバラッドである。その冬、イタリアのナポリに近いダグラスの別荘で彼はそれを完成し、翌一八九八年に出版した。獄中記の方はもちろん獄中で書かれたもので、ダグラスへの手紙の形をとつてゐるが、ワイルドは始めからこれを後世に残し、自分の罪の証しにするつもりで、写しをとることを親友ロバート・ロスに頼んでゐる。それがロスの手によつて最初に発表されたのはワイルド死後の一九〇五年である。そのときは全体の約三分の一くらゐであり、実在人物にさしさはりのあるやうな箇所は、ロスが注意ぶかく省いておいた。が、主要人物ダグラスは一九四五年に死に、一九四九年になつて始めてその全貌が明るみに出された。

イタリアにおけるダグラスとの数箇月の生活も、ダグラスが送金を断たれたことによつて行きづまり、ワイルドは単身パリに移つた。そこでは友人たちの助けでどうやら暮しが出来るといふ日々が続いた。が、彼は二度と立ち上れず、一九〇〇年十一月三十日に死去した。

六 『サロメ』について

『サロメ』が書かれたのは一八九一年だが、フランス語版が出たのは二年後の一八九三年である。ダグラスの英語版は一八九四年に出てゐる。フランス語版にはフランスの作家マルセル・シュオッブが手を入れたと言はれてゐる。ワイルドが始めこれをフランス語で書いたのは、当時の名女優サラ・ベルナールにサロメを演ぜしめ、それを機会に自分がフランス翰林院《アカデミ》の会員にならうとしたからだといふ噂がある。

もつとも、ベルナールを目あてに書いたといふことは、ワイルド自身が否定してゐる。フランス語版の刊行直後、ロンドン・タイムズに書評が出て、それにもサラのことが触れてあつたが、ワイルドはすぐ編集者に手紙を送り、そんなことはないと言つてゐる。

それには、たしかにサラは自分の作品を上演したがつてをり、自分もそれを楽しみにしてはゐるが、しかし、自分の戯曲は「決してこの偉大なる女優のために書かれたものではありません」と述べられてあり、さらに彼は「今まで誰か特定の役者を目あてに戯曲を書いたことはないし、今後もさうはしないでせう。そんなことは文学的職人のやることで、芸術家のやるべきことではありません」とみえを切つてゐる。

とにかく、その計画は実現しなかつた。サラがロンドンのパレス座上演を目あてに稽古を開始するや否や、禁止令が出たからである。

しかし、その後、ワイルドがレッディングに服役中、友人たちがフランスの役者リューニュ・ポエに上演を依頼し、それが成功して、一八九六年、ポエ一座によつてフランス語の『サロメ』はやうやくルーヴル座の脚光を浴びることになつた。が、結果は香しくなかつた。

イギリスにおける上演禁止が解かれたのは一九三一年だが、そのときは既に『サロメ』熱は去つてゐた。『サロメ』の最初の、そして最後の成功はドイツにおいてもたらされた。一九〇一年、ベルリン小劇場における名演出家マックス・ラインハルトの手によるものである。ワイルドは既に死んでゐた。それにしてもラインハルトの成功はワイルドの心に添ふものであつたかどうか。ラインハルトの他の仕事ぶりから察して、その『サロメ』はおそらくスペクタクル的効果を最大限に発揮したものに相違ない。

だが、私はワイルドの『サロメ』をスペクタクル的官能美の表現と見る従来の定説に与しない。それはあくまでせりふ中心の運命悲劇である。今こゝにそれを述べる余裕はないが、詳しいことは新潮社版『サロメ』の解題に譲る。

一九〇五年にはリヒアルト・シュトラウスがドイツ語訳をそのまゝ歌劇化し、しかも大成功ををさめた。爾来、ワイルドの『サロメ』よりシュトラウスのそれの方が比較にならぬほど度々上演されてゐる。それは今や劇であるよりは歌劇である。その理由は、やはり官能的要素や視覚的要素が人々の注意を奪つたせゐもあらうが、さらに、おそらくはそれが一晩の芝居としては短かすぎるといふことにあるのではないか。日本でも松井須磨子以来、こゝ数十年間、ほとんど上演されてゐない。

しかし、戯曲としては、これほど多く読まれてゐる作品も珍しい。ことに外国語に訳されてゐる点では、他にほとんどその比を見ない。ヨーロッパだけでも数十種に及ぶ各国語訳が出てゐるといふ。日本でも十数種の訳があるさうだ。現在、文庫などで簡単に入手できるものだけでも三、四種はあらう。

ワイルドの悲劇は、このほかに先に触れた『ヴェラ』と『パデュア公爵夫人』があるが、『サロメ』一つが名高く、大抵のワイルド全集にも戯曲は四つの喜劇とこの『サロメ』だけしか出てゐない。未完の悲劇としては『フロレンスの悲劇』と『聖娼婦』がある。

なほ『サロメ』は新約聖書マタイ伝第十四章第三節以下、およびマルコ伝第六章第十七節以下の記述に基づいてゐる。言ふまでもなく、ヨカナーンは洗礼者ヨハネであり、エロドはイエスの誕生を恐れてベツレヘムの幼児虐殺を行つたヘロデの子である。ワイルドがこの作品を書くに至つたもう一つの動機は、彼が傾倒してゐたフロベールの『トロワ・コント』の中の「エロディアス」であると言はれてゐる。

七　挿絵について

挿絵を書いてゐるビアズレーは一八七二年に生れ、一八九八年に死んだ天才的な挿絵画家である。ほとんど黒と白だけのペン画を描いたが、そのプロポーションの歪曲、マスの黒い部分と細い線との巧みな対照、非現実的な怪奇趣味、それらの特徴をもつて、ワイルドたちの反俗的芸術至上主義とともに、世紀末の唯美主義運動の一翼をになつた人物である。その画風はまた日本の浮世絵の影響を受けたと言はれてゐる。彼が挿絵を描いた主な作品は、ゴーティエの『モーパン嬢』、フロベールの『ボヴァリー夫人』、マロリーの騎士物語『アーサー王の死』、ジョンソンの喜劇『ヴォルポーン』、ポープの長詩『捲毛を奪ふ』、そしてこの『サロメ』などである。『サロメ』の挿絵はフランス語版にはなく、一八九四年のダグラス訳に始めて添へられたものである。

その挿絵だが、この文庫に収めたのは全部で十八枚あり、従来のダグラス訳にも日本語訳にも無かつたものや、ごく最近のウォーカー訳『サロメ』によつて始めて禁を解かれたものなどを含んでゐる。それらの挿絵の説明も経緯も新潮社版に譲ることにして、こゝには簡単に口絵の「お前の口に口づけしたよ」についてだけ述べておく。

これは元来『サロメ』の挿絵として描かれたものではなく、ダグラス訳の出る前、おそらくその訳の計画を知るまへ、ビアズレーはロスを通じて手に入れたフランス語版を読み、これを単独の作品として描き、「ストゥディオ」誌の一八九三年四月号に発表したのである。原画は薄い色づけがあつたと言ふ。のちに、挿絵を頼まれるに及び、これにもとづいて「最高潮」を描いた。

挿絵とは言つても、いづれも作品の筋や性格を追ふものではなく、ワイルドの『サロメ』に想を得たビアズレー独自の作品であり、中には作者のワイルドを嘲笑して戯画化したものまである。しかし、内容に関係がないといつても、出来るだけ関聯のある場所に排列しておいた。

昭和三十三年十二月十五日

福田恆存

サ　ロ　メ　ワイルド作

1959年1月5日　第1刷発行
2000年5月16日　改版第1刷発行
2025年6月5日　第32刷発行

訳　者　福田恆存《ふくだつねあり》

発行者　坂本政謙

発行所　株式会社　岩波書店
〒101-8002　東京都千代田区一ツ橋2-5-5

案内　03-5210-4000　営業部　03-5210-4111
文庫編集部　03-5210-4051
https://www.iwanami.co.jp/

印刷　製本・法令印刷　カバー・精興社

ISBN978-4-00-322452-6　Printed in Japan

読書子に寄す

――岩波文庫発刊に際して――

岩波茂雄

真理は万人によって求められることを自ら欲し、芸術は万人によって愛されることを自ら望む。かつては民を愚昧ならしめるために学芸が最も狭き堂宇に閉鎖されたことがあった。今や知識と美とを特権階級の独占より奪い返すことはつねに進取的なる民衆の切実なる要求である。岩波文庫はこの要求に応じそれに励まされて生まれた。それは生命ある不朽の書を少数者の書斎と研究室とより解放して街頭にくまなく立たしめ民衆に伍せしめるであろう。近時大量生産予約出版の流行を見る。その広告宣伝の狂態はしばらくおくも、後代にのこすと誇称する全集がその編集に万全の用意をなしたるか。千古の典籍の翻訳企図に敬虔の態度を欠かざりしか。さらに分売を許さず読者を繫縛して数十冊を強うるがごとき、はたしてその揚言する学芸解放のゆえんなりや。吾人は天下の名士の声に和してこれを推挙するに躊躇するものである。このときにあたって、岩波書店は自己の責務のいよいよ重大なるを思い、従来の方針の徹底を期するため、すでに十数年以前より志して来た計画を慎重審議この際断然実行することにした。吾人は範をかのレクラム文庫にとり、古今東西にわたって文芸・哲学・社会科学・自然科学等種類のいかんを問わず、いやしくも万人の必読すべき真に古典的価値ある書をきわめて簡易なる形式において逐次刊行し、あらゆる人間に須要なる生活向上の資料、生活批判の原理を提供せんと欲する。この文庫は予約出版の方法を排したるがゆえに、読者は自己の欲する時に自己の欲する書物を各個に自由に選択することができる。携帯に便にして価格の低きを最主とするがゆえに、外観を顧みざるも内容に至っては厳選最も力を尽くし、従来の岩波出版物の特色をますます発揮せしめようとする。この計画たるや世間の一時の投機的なるものと異なり、永遠の事業として吾人は微力を傾倒し、あらゆる犠牲を忍んで今後永久に継続発展せしめ、もって文庫の使命を遺憾なく果たさしめることを期する。芸術を愛し知識を求むる士の自ら進んでこの挙に参加し、希望と忠言とを寄せられることは吾人の熱望するところである。その性質上経済的には最も困難多きこの事業にあえて当たらんとする吾人の志を諒として、その達成のため世の読書子とのうるわしき共同を期待する。

昭和二年七月

《イギリス文学》〔赤〕

書名	著者	訳・編
ユートピア	トマス・モア	平井正穂訳
完訳 カンタベリー物語 全三冊	チョーサー	桝井迪夫訳
ヴェニスの商人	シェイクスピア	中野好夫訳
十二夜	シェイクスピア	小津次郎訳
ハムレット	シェイクスピア	野島秀勝訳
オセロウ	シェイクスピア	菅泰男訳
リア王	シェイクスピア	野島秀勝訳
マクベス	シェイクスピア	木下順二訳
ソネット集	シェイクスピア	高松雄一訳
ロミオとジューリエット	シェイクスピア	平井正穂訳
リチャード三世	シェイクスピア	木下順二訳
対訳 シェイクスピア詩集 —イギリス詩人選(1)		柴田稔彦編
から騒ぎ	シェイクスピア	喜志哲雄訳
冬物語	シェイクスピア	桒山智成訳
言論・出版の自由 他一篇 —アレオパジティカ	ミルトン	原田純訳
失楽園 全二冊	ミルトン	平井正穂訳
ロビンソン・クルーソー 全二冊	デフォー	平井正穂訳
奴婢訓 他一篇	スウィフト	深町弘三訳
ガリヴァー旅行記	スウィフト	平井正穂訳
トリストラム・シャンディ 全三冊	ロレンス・スターン	朱牟田夏雄訳
ウェイクフィールドの牧師 —むだばなし	ゴールドスミス	小野寺健訳
幸福の探求 —アビシニアの王子ラセラスの物語	サミュエル・ジョンソン	朱牟田夏雄訳
対訳 ブレイク詩集 —イギリス詩人選(4)		松島正一編
対訳 ワーズワス詩集 —イギリス詩人選(3)		山内久明編
湖の麗人	スコット	入江直祐訳
キプリング短篇集		橋本槙矩編訳
対訳 コウルリッジ詩集 イギリス詩人選(7)		上島建吉編
高慢と偏見 全二冊	ジェーン・オースティン	富田彬訳
ジェイン・オースティンの手紙		新井潤美編訳
マンスフィールド・パーク 全二冊	ジェイン・オースティン	新井潤美・宮丸裕二訳
シェイクスピア物語 全二冊	チャールズ・ラム、メアリー・ラム	安藤貞雄訳
エリア随筆抄	チャールズ・ラム	南條竹則編訳
デイヴィッド・コパフィールド 全五冊	ディケンズ	石塚裕子訳
炉辺のこほろぎ	ディケンズ	本多顕彰訳
ボズのスケッチ 短篇小説篇 全二冊	ディケンズ	藤岡啓介訳
アメリカ紀行 全二冊	ディケンズ	伊藤弘之・下笠徳次・隈元貞広訳
イタリアのおもかげ	ディケンズ	伊藤弘之・下笠徳次・隈元貞広訳
大いなる遺産 全二冊	ディケンズ	石塚裕子訳
荒涼館 全四冊	ディケンズ	佐々木徹訳
鎖を解かれたプロメテウス	シェリー	石川重俊訳
アイルランド 歴史と風土	オフェイロン	橋本槙矩訳
ジェイン・エア 全二冊	シャーロット・ブロンテ	河島弘美訳
嵐が丘 全二冊	エミリー・ブロンテ	河島弘美訳
サイラス・マーナー	ジョージ・エリオット	土井治訳
アルプス登攀記 全二冊	ウィンパー	浦松佐美太郎訳
アンデス登攀記 全二冊	ウィンパー	大貫良夫訳
ジーキル博士とハイド氏	スティーヴンスン	海保眞夫訳
南海千一夜物語	スティーヴンスン	中村徳三郎訳
若い人々のために 他十一篇	スティーヴンスン	岩田良吉訳
怪談 —不思議なことの物語と研究	ラフカディオ・ハーン	平井呈一訳

- ドリアン・グレイの肖像　オスカー・ワイルド　富士川義之訳
- サロメ　ワイルド　福田恆存訳
- 嘘から出た誠　ワイルド　岸本一郎訳
- 童話集 幸福な王子 他八篇　オスカー・ワイルド　富士川義之訳
- 分らぬもんですよ　バァナード・ショウ　市川又彦訳
- ヘンリ・ライクロフトの私記　ギッシング　平井正穂訳
- 南イタリア周遊記　ギッシング　小池滋訳
- 闇の奥　コンラッド　中野好夫訳
- 密偵　コンラッド　土岐恒二訳
- 対訳 イエイツ詩集　高松雄一編
- 月と六ペンス　モーム　行方昭夫訳
- 読書案内 —世界文学　W・S・モーム　西川正身訳
- 人間の絆 全三冊　モーム　行方昭夫訳
- サミング・アップ　モーム　行方昭夫訳
- モーム短篇選 全二冊　行方昭夫編訳
- アシェンデン —英国情報部員のファイル　モーム　中島賢二・岡田久雄訳
- お菓子とビール　モーム　行方昭夫訳

- ダブリンの市民　ジョイス　結城英雄訳
- 荒地　T・S・エリオット　岩崎宗治訳
- オーウェル評論集　小野寺健編訳
- パリ・ロンドン放浪記　ジョージ・オーウェル　小野寺健訳
- カタロニア讃歌　ジョージ・オーウェル　都築忠七訳
- 動物農場 —おとぎばなし　ジョージ・オーウェル　川端康雄訳
- 対訳 キーツ詩集 —イギリス詩人選(10)　宮崎雄行編
- キーツ詩集　中村健二訳
- オルノーコ 美しい浮気女　アフラ・ベイン　土井治訳
- 解放された世界　H・G・ウェルズ　浜野輝訳
- 大転落　イヴリン・ウォー　富山太佳夫訳
- 回想のブライズヘッド 全二冊　イーヴリン・ウォー　小野寺健訳
- 愛されたもの　イーヴリン・ウォー　中村健二・出淵博訳
- 対訳 ジョン・ダン詩集 —イギリス詩人選(2)　湯浅信之編
- フォースター評論集　小野寺健編訳
- 白衣の女 全三冊　ウィルキー・コリンズ　中島賢二訳
- アイルランド短篇選　橋本槙矩編訳

- 灯台へ　ヴァージニア・ウルフ　御輿哲也訳
- 狐になった奥様　ガーネット　安藤貞雄訳
- フランク・オコナー短篇集　阿部公彦訳
- たいした問題じゃないが —イギリス・コラム傑作選　行方昭夫編訳
- 真昼の暗黒　アーサー・ケストラー　中島賢二訳
- 文学とは何か —現代批評理論への招待 全二冊　テリー・イーグルトン　大橋洋一訳
- D・G・ロセッティ作品集　南條竹則・松村伸一編訳
- 真夜中の子供たち 全二冊　サルマン・ラシュディ　寺門泰彦訳
- 英国古典推理小説集　佐々木徹編訳

《アメリカ文学》〔赤〕

ギリシア・ローマ神話 付インド・北欧神話	ブルフィンチ 野上弥生子訳
中世騎士物語	ブルフィンチ 野上弥生子訳
フランクリン自伝	松本慎一 西川正身訳
スケッチ・ブック 全二冊	アーヴィング 齊藤昇訳
アルハンブラ物語 全二冊	アーヴィング 平沼孝之訳
ウォルター・スコット邸訪問記	アーヴィング 齊藤昇訳
ブレイスブリッジ邸	アーヴィング 齊藤昇訳
エマソン論文集 全二冊	エマソン 酒本雅之訳
完訳 緋文字	ホーソーン 八木敏雄訳
黒猫・モルグ街の殺人事件 他五篇	ポオ 中野好夫訳
対訳 ポー詩集 —アメリカ詩人選(1)	加島祥造編
黄金虫・アッシャー家の崩壊 他九篇	ポオ 八木敏雄訳
ポオ評論集	八木敏雄編訳
森の生活 (ウォールデン) 全二冊	ソロー 飯田実訳
市民の反抗 他五篇	H・D・ソロー 飯田実訳
白鯨 全三冊	メルヴィル 八木敏雄訳
ビリー・バッド	メルヴィル 坂下昇訳
ホイットマン自選日記 全二冊	杉木喬訳
対訳 ホイットマン詩集 —アメリカ詩人選(2)	木島始編
対訳 ディキンソン詩集 —アメリカ詩人選(3)	亀井俊介編
不思議な少年	マーク・トウェイン 中野好夫訳
王子と乞食	マーク・トウェーン 村岡花子訳
人間とは何か	マーク・トウェイン 中野好夫訳
ハックルベリー・フィンの冒険 全二冊	マーク・トウェイン 西田実訳
いのちの半ばに	ビアス 西川正身訳
新編 悪魔の辞典	ビアス 西川正身編訳
ビアス短篇集	大津栄一郎編訳
ねじの回転 デイジー・ミラー	ヘンリー・ジェイムズ 行方昭夫訳
ワシントン・スクエア	ヘンリー・ジェイムズ 河島弘美訳
ノリス 死の谷 マクティーグ 全二冊	石田英二 井上宗次訳
シスター・キャリー 全二冊	ドライサー 村山淳彦訳
響きと怒り 全二冊	フォークナー 平石貴樹 新納卓也訳
アブサロム、アブサロム! 全二冊	フォークナー 藤平育子訳
八月の光 全二冊	フォークナー 諏訪部浩一訳
武器よさらば 全二冊	ヘミングウェイ 谷口陸男訳
オー・ヘンリー傑作選	大津栄一郎訳
アメリカ名詩選	亀井俊介 川本皓嗣編
魔法の樽 他十二篇	マラマッド 阿部公彦訳
青白い炎	ナボコフ 富士川義之訳
風と共に去りぬ 全六冊	マーガレット・ミッチェル 荒このみ訳
対訳 フロスト詩集 —アメリカ詩人選(4)	川本皓嗣編
とんがりモミの木の郷 他五篇	セアラ・オーン・ジュエット 河島弘美訳
無垢の時代	イーディス・ウォートン 河島弘美訳
暗闇に戯れて —白さと文学的想像力	トニ・モリスン 都甲幸治訳

《ドイツ文学》〔赤〕

ニーベルンゲンの歌 全二冊 相良守峯訳
若きウェルテルの悩み ゲーテ 竹山道雄訳
ヴィルヘルム・マイスターの修業時代 全三冊 ゲーテ 山崎章甫訳
イタリア紀行 全三冊 ゲーテ 相良守峯訳
ファウスト 全二冊 ゲーテ 相良守峯訳
ゲーテとの対話 全三冊 エッカーマン 山下肇訳
スペインの太子 ドン・カルロス シルレル 佐藤通次訳
ヒュペーリオン ―希臘の世捨人 ヘルダーリン 渡辺格司訳
青い花 ノヴァーリス 青山隆夫訳
夜の讃歌・サイスの弟子たち 他一篇 ノヴァーリス 今泉文子訳
完訳 グリム童話集 全五冊 金田鬼一訳
黄金の壺 ホフマン 神品芳夫訳
ホフマン短篇集 池内紀編訳
ミヒャエル・コールハース チリの地震 他一篇 クライスト 山口裕之訳
影をなくした男 シャミッソー 池内紀訳
流刑の神々・精霊物語 ハイネ 小沢俊夫訳

ブリギッタ・森の泉 他一篇 シュティフター 宇多五郎・高安国世訳
みずうみ 他四篇 シュトルム 関泰祐訳
沈鐘 ハウプトマン 阿部六郎訳
地霊・パンドラの箱 ―ルル二部作 F・ヴェデキント 岩淵達治訳
春のめざめ F・ヴェデキント 酒寄進一訳
花・死人に口なし 他七篇 シュニッツラー 番匠谷英一・山本有三訳
ゲオルゲ詩集 手塚富雄訳
リルケ詩集 高安国世訳
ドゥイノの悲歌 リルケ 手塚富雄訳
ブッデンブローク家の人びと 全三冊 トーマス・マン 望月市恵訳
魔の山 全二冊 トーマス・マン 関泰祐・望月市恵訳
トニオ・クレエゲル トオマス・マン 実吉捷郎訳
ヴェニスに死す トオマス・マン 実吉捷郎訳
講演集 ドイツとドイツ人 他五篇 トーマス・マン 青木順三訳
講演集 リヒァルト・ヴァーグナーの苦悩と偉大 他一篇 トーマス・マン 青木順三訳
車輪の下 ヘルマン・ヘッセ 実吉捷郎訳
デミアン ヘルマン・ヘッセ 実吉捷郎訳

シッダルタ ヘッセ 手塚富雄訳
幼年時代 カロッサ 斎藤栄治訳
ジョゼフ・フーシェ ―ある政治的人間の肖像 シュテファン・ツワイク 高橋禎二・秋山英夫訳
変身・断食芸人 カフカ 山下肇・山下萬里訳
審判 カフカ 辻瑆訳
カフカ短篇集 池内紀編訳
カフカ寓話集 池内紀編訳
ドイツ炉辺ばなし集 ―カレンダーゲシヒテン ヘーベル 木下康光編訳
ウィーン世紀末文学選 池内紀編訳
ティル・オイレンシュピーゲルの愉快ないたずら 阿部謹也訳
チャンドス卿の手紙 他十篇 ホフマンスタール 檜山哲彦訳
ホフマンスタール詩集 川村二郎訳
インド紀行 全二冊 ボンゼルス 実吉捷郎訳
ドイツ名詩選 生野幸吉・檜山哲彦編
聖なる酔っぱらいの伝説 他四篇 ヨーゼフ・ロート 池内紀訳
ラデツキー行進曲 全二冊 ヨーゼフ・ロート 平田達治訳
ボードレール 他五篇 ―ベンヤミンの仕事2 ベンヤミン 野村修編訳

岩波文庫の最新刊

サン＝テグジュペリ作／野崎 歓訳

夜間飛行・人間の大地

「愛するとは、ともに同じ方向を見つめること」――長距離飛行の先駆者＝作家が、天空と地上での生の意味を問う代表作二作。原文の硬質な輝きを伝える新訳。

〔赤N五一六-二〕 定価一二二一円

久保田淳校注

百人一首

藤原定家撰とされてきた王朝和歌の詞華集《アンソロジー》。代表的な古典文学として愛誦されてきた。近世までの諸注釈に目配りをして、歌の味わいを楽しむ。

〔黄一二七-四〕 定価一七一六円

ショーペンハウアー著／藤野 寛訳

自殺について 他四篇

名著『余録と補遺』から、生と死をめぐる五篇を収録。人生とは欲望が満たされぬ苦しみの連続であるが、自殺は偽りの解決策として斥ける。新訳。

〔青六三二-一〕 定価七七〇円

ゲルツェン著／金子幸彦・長縄光男訳

過去と思索 (七)

一八六三年のポーランド蜂起を支持したゲルツェンは、ロシアの世論から孤立し、新聞《コロコル》も終刊。時代の変化を痛感する。

(全七冊完結) 〔青N六一〇-八〕 定価一七一六円

……今月の重版再開……

中 勘助作

鳥の物語

〔緑五一-二〕 定価一〇一二円

中 勘助作

提婆達多

〔緑五一-五〕 定価八五八円

定価は消費税10％込です　2025.5

岩波文庫の最新刊

宮沢俊義著／長谷部恭男編

八月革命と国民主権主義 他五篇

ポツダム宣言の受諾は、天皇主権から国民主権への革命であった。新憲法制定の正当性を主張した「八月革命」説をめぐる論文集。「国民代表の概念」等も収録。〔青N一二一-二〕 **定価一〇〇一円**

トーマス・マン作／小黒康正訳

トーニオ・クレーガー

芸術への愛と市民的生活との間で葛藤する青年トーニオ。自己探求の旅の途上でかつて憧れた二人の幻影を見た彼は、何を悟るのか。新訳。〔赤四三四-〇〕 **定価六二七円**

行方昭夫編訳

お許しいただければ

―続イギリス・コラム傑作選―

隣人の騒音問題から当時の世界情勢まで、誰にとっても身近な出来事をユーモアたっぷりに語る、ガードナー、ルーカス、リンド、ミルンの名エッセイ。〔赤N二〇一-二〕 **定価九三五円**

ル・クレジオ著／管啓次郎訳

歌の祭り

南北両アメリカ先住民の生活の美しさと秘められた知恵、そして深遠な宇宙観を、みずみずしく硬質な文体で描く、しずかな抒情と宇宙論的ひろがりをたたえた民族誌。〔赤N五〇九-三〕 **定価一一五五円**

……今月の重版再開……

柳田国男著

蝸牛考

〔青一三八-七〕 **定価九三五円**

高井としを著

わたしの「女工哀史」

〔青N一一六-一〕 **定価一〇七八円**

定価は消費税10％込です　　2025.6